DOMAINE FRANÇAIS

SEUL, INVAINCU

DU MÊME AUTEUR

L'ESPRIT DE L'IVRESSE, roman, Actes Sud, 2013.

L'auteur de cet ouvrage a bénéficié d'une bourse d'écriture de la Région et de la Drac Rhône-Alpes.

© ACTES SUD, 2015
ISBN 978-2-330-03887-8

LOÏC MERLE

Seul, invaincu

roman

ACTES SUD

Pour Léo Merle et Louise Merle, heureusement là.
Pour Laure, toujours.

"Je suis capable de soustraire mon corps et mon cerveau aux influences néfastes", dis-je. *"Je sais ce qui m'est utile",* dis-je.

THOMAS BERNHARD

1

Il est vrai qu'après avoir reçu un message alarmant à son propos, dans le désert où je me trouvais alors, j'avais laissé en plan mon coûteux matériel militaire et quitté l'uniforme, pensant tout juste à demander la permission de partir. Et, c'est un fait, je m'étais envolé vers lui, même si j'avais dû faire escale entre-temps et patienter toute une semaine sur une île, buvant et vomissant beaucoup, tout de même j'avais eu la sensation de voler d'une traite, puis, sitôt atterri, d'avoir roulé vers lui à toute allure. Mais, une fois revenu dans ma ville natale, à C., devant la clinique, je repris mes esprits... Les choses n'avaient guère changé... Une certaine atmosphère, pesante comme le brouillard qui stagnait et pénétrait les os, attaquait les os... Je sentais à nouveau le poids de la montagne, ses bras m'étreindre... L'ombre de la grande montagne, que j'avais fuie des années aupa-ravant, derrière moi...

Le décor dans l'ensemble, le complexe hospitalier, était demeuré celui que, dans mon souvenir, tout au bout de l'adolescence, j'avais fini par détester : une énorme cage aux barreaux de béton effrité dans laquelle, par manque d'argent et de considération, on entassait les malades. Bien que ma grand-mère y eût fait le ménage pendant plus de trente ans, et dépensé la plus grande partie de sa force et de sa joie, si bien qu'il ne nous était plus resté à nous, sa famille, que les miettes, je ne savais presque rien de la vie de la clinique, si elle différait profondément de la mienne, rien des douleurs et des délivrances des patients, je ne m'étais jamais représenté l'angoisse des familles, les préoccupations des médecins, des visiteurs perdus, jusqu'à aujourd'hui – je n'avais rien voulu savoir. Mais, maintenant que j'y songeais, sous l'auvent démesuré de l'entrée principale, peut-être parce qu'il me semblait entendre, comme venue de ses entrailles, la rumeur d'un culte inconnu, ou peut-être parce que je ne savais pas du tout à quoi m'attendre une fois à l'intérieur, j'avais l'impression de me tenir sur le parvis d'une église.

Je me rappelai soudain n'avoir averti personne de ma venue. Mais une curiosité architecturale, disons une curiosité d'homme peu instruit me poussa à pénétrer le plus impressionnant des bâtiments et je me retrouvai dans un vaste vaisseau, où, pensai-je, des centaines de cadavres à la peau encore chaude auraient pu être entassés sous le haut plafond, probablement embaumés pendant un temps dans la lumière douce filtrée par les murs de verre successivement jaunes et bleus. Un peu écrasé et hésitant, je m'engageai sans hâte dans un défilé de petites portes situées sur les bas-côtés, comme autant de chapelles aux noms étranges, *exploration fonctionnelle*, *cytologie pathologique*, *cryothérapie*, puis, laissant sur ma gauche les déambulations mélancoliques de la cafétéria, je pris un ascenseur qui me jeta, au troisième étage, devant le service d'hématologie où se combattaient, paraît-il, les maladies du sang.

À la vue des lourdes portes à battants de l'entrée, dont l'ouverture paraissait réclamer un mot de passe que je ne connaissais pas, il me sembla être sur le point de pénétrer un territoire interdit et dangereux. Bien sûr il se pouvait que, à peine sorti de ma zone de guerre, mon imagination me joue des tours. Pourtant, dès le premier hall, les odeurs tout à coup agressives, et les règles obscures concernant l'hygiène et la sécurité, au nombre de seize, les nombreuses interdictions, le dépouillement obligatoire des bijoux et de la montre que l'on portait, tout indiquait une sorte de sanctuaire où, contrairement à ce qui se passait au-dehors, comptaient les énigmes insolubles posées par les corps à la dérive, maltraités, les questions pratiques, la sobriété, où les traitements particuliers n'existaient pas, où il était impensable de ne pas suivre la procédure – je crois qu'il s'agissait, avant de franchir le pas, d'oublier qui l'on était.

Mal à l'aise, livré à moi-même et craignant de commettre un impair, j'attendis désespérément de l'aide et je restai un long moment dans le hall sans oser faire quoi que ce soit, lorsqu'une infirmière apparut et se dirigea vers les casiers du vestiaire, sans un regard pour moi. Lorsque je lui demandai ce que je devais faire, un peu agressif malgré moi, et la direction de la chambre trois cent trois, elle se retourna agacée et me regarda de ses yeux las comme s'il lui était extrêmement pénible de répondre, et que cette même punition, parler à des gens qui ne savaient pas, qui n'avaient aucune idée de ce qu'elle vivait, lui était infligée jour après jour. Puis elle soupira bruyamment, et, sans mot dire, attrapa mon menton et fit pivoter ma tête avec deux de ses doigts crochus et froids, jusqu'à ce que je voie l'affiche très visible, et collée de travers, qui détaillait la marche à suivre pour les visites et le plan du service avec la position exacte de chaque chambre.

C'était la première heure du matin, et j'avançais sans bruit, frappé par le silence qui régnait, seul dans l'unique et interminable couloir du service. De part et d'autre, la plupart des chambres étaient ouvertes pour les soins, la toilette ou le ménage, mais, regardant droit devant moi, j'essayai de ne pas satisfaire ma curiosité de ce que pouvaient subir les malades, et du spectacle de leurs maladies. Cependant, malgré mes efforts, je ne pus m'empêcher de jeter de rapides coups d'œil (pour savoir un peu ce qui m'attendait, c'était cela, pour ne pas être pris au dépourvu), et je m'aperçus que toutes les chambres, strictement identiques, étaient pourvues d'un vestibule dans lequel chaque visiteur devait, avant d'être autorisé à approcher le malade, se laver consciencieusement les mains, puis se vêtir d'une blouse, d'une charlotte et d'un masque. Ce qui m'intéressa, c'est que cette préparation, qui était comme une préparation au pire, n'était pas aveugle : la bonne volonté était affermie ou découragée, c'est selon, par la vue imprenable, à travers une grande vitre qui occupait tout un côté du vestibule, de la chambre stérile proprement dite, où séjournaient les malades qui avaient interdiction de sortir de cette pièce mais ne pouvaient même pas, le plus souvent, se lever de leurs lits… De cette façon on était prévenu, on pouvait anticiper la rechute, ou une amélioration… C'était aussi une dernière chance offerte de renoncer avant qu'il ne soit trop tard, une lumière crue : l'exposition complète et indécente, comme dans un laboratoire, de la maladie, des conséquences de la grave maladie… De l'enfermement humain, l'ennui humain, la folie sans espoir et les gènes déréglés… C'était comme contempler l'intérieur d'une prison sans avoir été soi-même condamné… Une prison chimique, une prison, même pour l'âme… Pas à pas, je finis par arriver devant la chambre de mon ami Kérim San, dont un des proches s'était chargé de m'envoyer le mail suivant, non signé, et, semblait-il, miraculeusement parvenu à destination : *Kérim a attrapé un cancer.*

La porte de Kérim aussi était ouverte. Sans cela, peu sensible aux attraits du mystère, terrifié, même, par les mystères qui se dissimulaient derrière les portes fermées, il eût été improbable que je franchisse ce premier seuil, et plus improbable encore que je ne parte pas en courant. Mais je n'étais pas tranquille ; je me demandais tout à coup ce que je faisais là, en quoi ma présence lui serait utile, ou seulement agréable. Et que dirait Kérim en me voyant apparaître tout à coup, j'étais devenu un étranger pour lui, après mon départ soudain suivi de sept années de silence, qu'éprouverait-il si ce n'est de la colère et de la déception ? Par chance, passant la tête dans l'entrebâillement de la porte et regardant à travers la vitre de sa chambre stérile, j'eus le loisir d'observer Kérim dans la pénombre du vestibule, à la dérobée, sans même avoir à quitter le couloir. Il était assis, ou plutôt paraissait posé comme une relique sur son lit sans draps et sans couverture, indifférent à la femme en tenue bleu horizon qui s'affairait d'un bout à l'autre de la pièce et lui parlait sans que jamais il ne daigne répondre, le regard fixé sur une fenêtre grillagée de noir qui dispensait une insoutenable blancheur et qui, frappant son visage sous un certain angle, le faisait presque disparaître. Il ne cillait pas, les yeux à demi fermés. Il n'avait plus de cheveux, ne portait plus son collier de barbe sans lequel, contre toute vraisemblance, je ne me rappelais pas l'avoir jamais vu. La couleur de sa peau, surtout, avait changé, toute luminosité s'était retirée de son teint anciennement mat et avait laissé le front et les joues pris dans un gris de décomposition. Son cou était d'une maigreur insupportable, son nez semblait avoir poussé et devoir s'affaisser sous son propre poids.

L'ayant reconnu sans hésiter, me dis-je presque fièrement, puis m'étant progressivement habitué au bouleversement de ses traits, fasciné, même, par ce bouleversement et oubliant un peu mes préventions, je trouvai le courage de m'avancer franchement dans le vestibule. Puis, tout en me préparant pour la chambre stérile je me demandai sérieusement si les changements physiques que Kérim avait subis étaient seulement le fait de sa maladie et de son traitement, ou si les années que nous avions passées éloignés l'un de l'autre avaient pu à ce point modifier son apparence, autant que moi, de mon côté, bien portant, sain de corps mais pas vraiment d'esprit, j'avais pu changer, et me regardant brièvement dans une petite glace accrochée au-dessus de l'évier il me parut, pendant quelques instants, que je ressemblais de façon remarquable à Kérim tel que je l'avais connu, tel qu'il avait été mais ne serait plus, porteur d'une sorte d'éclat, et que, peut-être, si je n'avais pas été obligé de masquer la plus grande partie de mon visage pour le voir sans le contaminer avec des germes qui le tueraient sur-le-champ, il m'en aurait voulu de lui présenter si brutalement un reflet de ce qu'il avait été, même pâle, un souvenir de son propre âge d'or. Quoi qu'il en soit j'étais déjà récuré et habillé, tournant la tête de mon côté Kérim m'avait sans doute vu, il était trop tard pour reculer. Je bus à la suite trois verres d'eau qui me pesèrent immédiatement sur l'estomac comme si j'avais avalé le gobelet de plastique, me lavai les mains à nouveau, pendant cinq bonnes minutes, et enfilai une autre paire de gants. Puis j'attendis sans bouger, suant et grelottant, fixant mon téléphone désespérément silencieux, que l'infirmière sorte. Enfin, je pus entrer. Il se passa une éternité avant que nos deux regards se croisent. Comme de juste, il parla le premier : Charles Zalik, tiens tiens.

Sa voix, ressurgie d'un passé avec lequel je croyais avoir complètement rompu, sa voix qui avait davantage vieilli que son corps, sa voix éraillée me paralysa, et je demeurai, gauche et muet, à une distance honorable du pied de son lit. Curieusement, alors que je chérissais désormais l'organisation, alors que l'armée m'avait appris à aimer la communication claire, l'ordre et l'imperturbabilité de l'esprit (mon propre esprit était désormais divisé en cases de taille rigoureusement égale), d'un amour rarement pris en défaut, là-bas, dans le désert, je n'avais pas vraiment anticipé nos retrouvailles, et même la vue privilégiée et protégée de la maladie de Kérim à travers la vitre, quelques minutes plus tôt, ne m'avait pas incité à choisir mes mots ou à feindre un sentiment particulier de tendresse, de compassion ou de frivolité, qui aurait pu convenir à la situation. Et maintenant j'espérais que le masque couvre suffisamment mes mimiques gênées, mon dégoût, et aussi mon affolement. Mais il lui restait mes yeux à voir, mes yeux verts – à ce sujet, dans le temps, Kérim n'avait pas pour habitude de se tromper. Allez, soldat, un peu de cran. Approche, me dit-il, approche.

Ce que je fis de mieux je crois, au cours de cette première visite, je veux dire ce qui me parut après coup le plus naturel et le plus justifié, fut de lui obéir comme je l'avais déjà fait cent fois auparavant, et de m'asseoir sans tarder sur une chaise que, par manque de place et par maladresse, j'eus du mal à mettre sur ses quatre pieds, auprès de lui. Un demi-sourire redessinait à présent la forme de ses lèvres et faisait en partie disparaître les croûtes que j'avais pu apercevoir autour de sa bouche ; mais, si son charme opérait toujours, il était impuissant à dissimuler les autres signes de sa maladie qui s'affichaient partout sur ses membres, et que Kérim ne cherchait d'ailleurs pas à cacher : les gencives violettes et les dents jaunâtres, les avant-bras décharnés, les pieds gonflés, les rougeurs surnaturelles dans le cou et sur le haut de la poitrine. De sa souffrance pourtant, je n'osai rien lui demander. Je ne parlai pas, au début, je laissai Kérim me regarder fixement et tenter de lire dans mon attitude, sur le peu qu'il discernait de mon visage, comme un détective extralucide, les raisons de ma venue, visiblement il ne se rappelait pas m'avoir fait prévenir. Et sans doute voulait-il également tenter de deviner ce que j'avais accompli, et réussi à apprendre loin de lui, et même, en son absence, ce que j'avais pu dire de lui et penser de lui. Au bout de longues minutes de jugement silencieux, comme s'il avait tout à coup décidé de chasser le nuage qui s'interposait entre nous, Kérim se mit à m'interroger gaiement sur les choses les plus banales, me demanda si j'avais fait bon voyage, où je comptais loger, chez ma mère certainement, si je me sentais bien, de manière générale, et si la vie militaire me convenait.

— Nous sommes tous les deux des soldats, chacun dans notre partie, dit-il.

— Toi, oui, répondis-je en m'étouffant à moitié.

— Deux combattants, prêts à aller jusqu'au bout.

— Peut-être bien.

— Non, c'est sûr.

Il semblait extrêmement affaibli, et, cependant, porté encore par une volonté dont je n'ai rencontré aucun autre exemple depuis, mais dont il n'était pas rare qu'il fasse un étalage grossier, et la plupart du temps absurde, destiné à prouver l'étendue de sa supériorité. Et tout en me parlant avec animation du temps qu'il faisait et de l'hiver particulièrement rude et du fil de ses journées, Kérim levait régulièrement ses deux mains comme s'il avait besoin de s'étirer, pour les placer de chaque côté de sa tête puis les faire descendre lentement le long de son corps défait, de sorte que, mes yeux ne pouvant manquer de suivre ses mouvements, aucun détail ne m'était épargné. Cette présentation provocatrice de son état, sans qu'il ait pris la peine de me parler au préalable de science, de guérison possible ou de mal incurable, fut de trop, elle me choqua bien plus que je ne saurais le dire, et la panique me reprit. À bout de nerfs, je profitai d'une pause qu'il fit dans la conversation afin de replacer ses embouts nasaux pour me lever et quitter la chambre brusquement, en lui promettant de revenir bientôt, dès que je le pourrais, après avoir vu ma mère, le lendemain ou le surlendemain.

De retour dans le vestibule, je me rendis compte que je n'étais resté avec lui qu'une quinzaine de minutes – comment était-ce possible ? Me débarrassant avec difficulté de ma défroque plastifiée que je finis par déchirer rageusement et avec laquelle je remplis une poubelle, j'évitai de regarder en direction de la chambre, tentant de demeurer dans l'obscurité à présent délayée, combattue pied à pied par la clarté venue de la chambre, mais, bien entendu, je ne pus m'empêcher, avant de partir, de me retourner et de jeter un dernier coup d'œil vers la vitre : Kérim me scrutait de ses yeux brillants, peut-être fiévreux, deux bijoux qui semblaient de recel dans la figure ravagée – c'était lui, Ké, c'était bien lui.

Troublé, je parvins assez vite à me reprendre, presque par réflexe, et le temps de sortir du service j'avais retrouvé mon calme. En définitive, l'armée m'avait enseigné quelque chose, une certaine disposition mentale : j'avais encore l'usage de mes bras et de mes jambes ; il me restait ma bouche, mon nez et mes oreilles ; nulle balafre sur mon corps, et ma poitrine se soulevait et s'abaissait aisément ; tout allait donc pour le mieux. Mais cette simplicité, cette monovalence de l'esprit s'accordait davantage avec le paysage de la vallée désertique dans laquelle mon unité était stationnée, avec l'horizon lointain des montagnes qui découpaient proprement le ciel cobalt, avec l'existence répétitive que nous menions dans la base opérationnelle avancée, dans un quotidien au parfum de tombe – au parfum mêlé d'essence, de munition et de câble informatique. Ici au contraire, à C., comme je m'en fis la réflexion une fois dans la rue, tout semblait compliqué, chaotique : mes idées se brouillaient, mes certitudes s'étaient envolées dès mon arrivée en ville, comme si l'eau que je buvais, l'air que je respirais m'empoisonnaient spécialement, menaçant de me transformer en l'un de ces vieillards qu'on croisait sur les ponts, aux formes vagues, inutiles et délaissés.

Lors de ma dernière permission, je n'étais même pas revenu à C. Je n'avais pas eu envie de remuer la pâte à peine durcie de ma mémoire, et d'évaluer une nouvelle fois ma vie d'alors, une vie que je voulais ambitieuse, à l'aune des lieux de mon enfance, et puis d'être observé et jugé par les gens que j'avais connus autrefois, nulle envie de l'étroitesse d'une ville moyenne, de la campagne non loin et des champs et de la boue et des traces de terre partout... J'étais resté à Paris pendant deux semaines (deux semaines pour le corps, pour l'homme normal qui mène la vie de son corps, mais six mois pour mon esprit, et peut-être, finalement, six mois pour mon propre corps invisible, pour mes organes), menant la belle vie, ne dépassant pas les limites de mon arrondissement préféré, fréquentant même, ce qui ne me serait pas venu à l'idée avant ma première mission outre-mer, une étudiante prénommée Lily qui se prostituait à l'occasion, exceptionnellement, me précisa-t-elle, qui me méprisait et me forçait à avoir des rapports brutaux étranglant mon plaisir, et qui me ruina en prime, si je peux employer ce terme en parlant de mes finances, maigres de toute éternité, sans me fournir l'apaisement des nerfs que ma tête en feu réclamait. Heureusement, entre nous, le sexe n'avait pas une grande importance. Et malgré tout, après l'avoir rencontrée, c'est-à-dire une fois que mon cœur se fut emballé et mon estomac noué, non à l'évocation de mes souvenirs de guerre, mais en la voyant dans un bar pour la première fois, je ne pus me passer de Lily pendant tout le temps que dura ma permission, prolongée deux fois pour elle.

Ses cheveux étaient colorés en blond et balayés d'un *effet de soleil*, comme j'eus l'occasion de l'apprendre. Elle portait de grosses lunettes à monture fine, qui semblaient forcer ses yeux à s'ouvrir en grand et qu'elle ne quittait jamais, même pour faire l'amour, peut-être parce que, comme elle me le répétait sans cesse, ce n'était pas vraiment l'amour, mais autre chose que tous les deux nous faisions. En ma compagnie, sans que j'aie besoin de lui donner la moindre consigne, elle semblait avoir un code vestimentaire strict qui excluait absolument les pantalons, et favorisait les robes simples et les jupes, ni trop longues ni trop courtes, de couleur pervenche ou rouge, le plus souvent, parfois imprimées de fleurs qui n'existaient pas. Elle se maquillait avec beaucoup de réussite, rendant fraîche et naturelle une apparence qui ne pouvait être plus éloignée d'un état de nature, et je n'aurais su dire, ni au début ni à la fin de notre relation, si elle était belle, si elle était mince, ou si, d'un point de vue physique, elle me plaisait. Mais je considérais avec le plus grand sérieux tout ce qu'elle disait, qui était peu, et surtout ses silences. Je ne l'aimais pas, me dis-je longtemps après l'avoir quittée et être reparti en mission, cependant j'avais besoin d'elle.

Nous nous retrouvions chaque soir sans faute, entre dix heures et minuit, dans un bar trop sombre et assez peu engageant près de Montparnasse, ou directement dans son studio aménagé avec le goût d'une jeune femme qui entendait rester étudiante avant toute chose et entourait ses quelques clients, non de dentelle et de rose bon marché, mais des livres qu'elle appréciait, et des affiches de ses héros de jeunesse, l'autoproclamé commandant Marcos et Nelson Mandela, en plus de quelques portraits d'écrivains morts, décor qui, paradoxalement, m'excitait, en me donnant, à chaque fois que je la pénétrais, l'impression de la dévoyer. Elle n'aimait pas l'argent au-delà du raisonnable, me semblait-il (à deux reprises elle oublia de se faire payer), mais plutôt l'aventure de se vendre assez cher à des hommes qu'elle choisissait, pour l'instant, pour vivre de manière non conformiste sans trop de risque et sans s'investir excessivement, fréquentant ces hommes généralement plus âgés ainsi que, à une seule reprise me dit-elle, une femme, et voyageant dans ce qu'ils lui racontaient de leurs existences, les étudiant, en quelque sorte pour son seul profit, comme pour parfaire une formation, allongée à leurs côtés et examinant leur nudité des pieds à la tête en plissant les yeux, un peu de la même façon que, dans la journée, elle devait déchiffrer ses manuels.

Elle me fit la faveur, du moins c'est ainsi qu'elle me présenta la chose, et je n'eus pas le cœur de vérifier, de ne se consacrer qu'à moi pendant presque deux semaines, et j'eus l'impression pendant cette période, je garde cette sensation en mémoire, de m'enfoncer dans son parfum d'agapanthe (ce que j'imaginais être le parfum de l'agapanthe), et je me rappelle également, clairement et effectivement, m'être réjoui constamment de la dignité qu'elle conservait en toutes circonstances, sous moi, au-dessus de moi et parfois devant moi, et même, de m'être tout à la fois amusé et nourri des petites leçons qu'elle me donna à l'occasion de notre dizaine de rencontres, au cours desquelles elle me conseillait de boire moins et de cesser de me droguer, de me laver, une fois de temps en temps, alors que j'entendais profiter au maximum de mon congé, c'était d'après elle avec ce bref moment de loisir, avec cet alcool et cette drogue et aussi ces femmes consommées lors des permissions que l'armée tenait ses hommes, la chose était ancienne et très bien connue, et elle-même ne se sentait pas à ce point malheureuse et folle, dans son existence actuelle qui n'était pourtant pas toujours plaisante, qu'elle échangerait ses obligations contre mes obligations si, pour tenir le coup, elle devait à mon exemple perdre tout contrôle pendant plusieurs semaines par an et se conduire comme une bête, et non comme un être humain. Ainsi raisonneuse, pointant son index sur moi et s'animant comme jamais, tandis que je m'installais pour l'écouter à mon aise sur son petit lit ou dans un fauteuil en osier, je dois dire qu'elle m'intéressait prodigieusement, elle m'attirait, non qu'elle me poussât à m'interroger sur ma situation présente et future, elle n'y entendait rien, mais le ton qu'elle employait alors, et qui restait amical même lorsqu'elle m'accablait de reproches immérités, les mots qu'elle employait et qui, pour l'essentiel, sortaient droit d'ouvrages qu'elle venait à peine de finir, tout était supportable venant d'elle, après avoir pris d'elle un goût particulier, et c'était véritablement tout ce que je désirais, les choses les plus communes passées par le tamis d'une personne aimable, tout, me disais-je, ce que j'attendais d'elle. Peut-être aussi, plus simplement, avais-je à ce moment-là grand besoin d'une mère qui, précisément, ne fût pas la mienne, que je payais, et dont la voix me rassurait mais ne portait pas. Quoi qu'il en soit, notre arrangement me convenait, et je me séparais de Lily chaque matin sans drame, à nouveau vivant, c'était mon impression, c'est-à-dire que je réussissais à contenir la guerre en moi sans devenir, dans l'immédiat, fou à lier, et, aussitôt passé la porte de son immeuble, j'oubliais complètement Lily, ce qu'elle avait dit et ce qu'elle n'avait fait que suggérer, jusqu'au soir.

Pour autant que je m'en souvienne, l'indifférence des gens, cette année-là, envers moi, envers mes camarades de combat ou leurs propres existences, était remarquable. Et l'emballement du cœur et l'espèce de course permanente vers l'abîme de la ville tout entière étaient à la mesure de ce mépris de soi, c'était enivrant, plus enivrant en vérité que mon ennuyeuse zone de combat. Tous les militaires en permission se retrouvaient à Paris, dans les mêmes quartiers. Nous vivions intensément, du moins avions-nous cette impression, dans la hantise d'un rappel anticipé en cas d'accrochage ou d'offensive soudaine de l'ennemi (même si, parfois, une canette de bière à la main, je m'arrêtais en pleine rue, frappé par cette pensée que je ne savais pas du tout, je ne me rappelais plus qui était-ce, et quel était le nom de cet ennemi). Sans nous côtoyer, nous nous croisions assez souvent, et nous ne manquions jamais de nous saluer d'un léger mouvement de tête, il était préférable de ne pas s'ignorer complètement, pour cette simple raison que, dans l'état d'exaltation, pour ne pas dire plus, où nous nous trouvions jour et nuit, le plus insignifiant prétexte suffisait à déclencher une bagarre qui, en laissant s'exprimer une extrême violence dont quelques-uns, parmi les plus intoxiqués d'entre nous, ne pouvaient désormais plus se passer, aurait nécessairement mal tourné. Cela fait, nous espérions ne jamais nous revoir. Sans avoir à parler, sans avoir jamais servi ensemble, nous ne nous connaissions que trop bien... Et je savais que la nuit, en plein cauchemar, contraints d'expulser l'air toxique qu'ils n'avaient pu éviter de ramener avec eux du Mali ou du Liban et qui congestionnait leurs poumons, beaucoup se mettaient à hurler... Se fréquentant il aurait fallu évoquer ces cris, ce serait immanquablement venu sur le tapis...

J'avais rencontré pourtant, au cours de ma dernière permission, un homme d'un grand intérêt, un sergent, celui-là même qui, de manière désintéressée, m'avait mis en contact avec Lily. En très peu de temps nous devînmes proches, même si le terme ne paraît pas convenir tout à fait. Il était légionnaire et para, depuis quelques années stationné non loin d'Aden mais, c'est ce que je crus comprendre à quelques remarques voilées qu'il fit lors de nos conversations par ailleurs sans queue ni tête, il poussait quelquefois, avec un groupe réduit qu'il dirigeait, des pointes jusqu'à Damas ou Sanaa, clandestinement, à ce qu'il semblait. Contrairement à moi, les risques fous qu'il prenait pendant ses missions le motivaient, malgré un âge avancé (lui-même se moquait souvent de son âge, disait n'être plus bon à rien), que ne compensait pas l'expérience, pas dans la légion, me disait-il, pas chez les parachutistes.

Quatre ou cinq après-midi de suite, nous avions parlé autour d'un verre, dans le bar très éclairé, brillant de mille feux qui faisait face à mon hôtel et nous donnait le sentiment d'être deux étoiles aux yeux mi-clos, en même temps que nous étions exposés, semblait-il, comme dans une vitrine (de temps à autre mon nouvel ami, mon camarade se redressait comme s'il s'était réveillé en sursaut, et il se mettait à tourner la tête de tous côtés, finissant par me dévisager d'un air soupçonneux), comme si nous en avions trop dit… Nous parlions parfois très brièvement et parfois beaucoup plus longuement, et j'avais eu l'impression de le comprendre mieux que quiconque, et qu'il m'avait compris mieux qu'aucun autre être au monde. Il me parlait des limites, celles qui nous réfrénaient et celles que nous pouvions dépasser ; il me parlait de ce qu'il avait fait, des blessures reçues et des souffrances physiques infligées qui pouvaient se lire dans l'œil de l'adversaire, même s'il ne disait rien, qui faisaient dans son œil comme un bruit assourdissant, comme une explosion qui, par la suite, passait dans le regard du bourreau. Croyant faire preuve de sagesse je lui dis : si j'étais né à une autre époque, plus difficile, j'aurais accepté de torturer, j'aurais tué au couteau s'il l'avait fallu, j'aurais obéi sans problème puisque j'étais jeune et qu'on ne peut éviter de vivre pleinement sa jeunesse. Je lui dis : nos vies de soldats se ressemblent en fin de compte, moi de mon côté, et vous, de votre côté. Ce ne fut que la veille de mon départ qu'il m'interrogea sur mon affectation, mon grade et mon poste, comme si le rétablissement d'une différence nette et tangible entre nous, qu'il avait toujours sentie mais qu'il voulait à présent nommer, favoriserait notre séparation en la rendant moins triste, et plus logique. Je suis des Transmissions, adjudant dans le cinquante-quatrième, répondis-je. Pour le reste, je préférais ne rien dire.

J'avais pu m'apercevoir que ma réponse un peu sèche, un peu protocolaire et en définitive ridicule l'avait déçu et que, s'il n'avait été aussi saoul, et toujours possédé par une grande soif, il serait parti sur-le-champ, outré qu'après des heures à trinquer et à boire ses paroles, je ne m'en remette toujours pas à lui, le vétéran. Ce jour en particulier, il avait une mine de déterré, sa mâchoire déjà proéminente paraissait avoir enflé, ses joues étaient encore plus creusées qu'à l'habitude, et lorsqu'il baissait les yeux, son crâne rasé tentait de me renvoyer mon reflet. Mais il ne se leva pas. Quelque chose qui ressemblait à de la culpabilité plutôt qu'à de l'ivresse ou à de la fatigue le retenait. Et, de la même façon qu'il l'aurait fait avec un enfant, pour me garder auprès de lui et m'instruire, il me fit le récit embrouillé et haletant de l'une de ces missions secrètes qu'il prétendait avoir accomplies au service de la France, au plus grand bénéfice de la France, répétait-il convaincu, sans indication de lieu, sans nom ni date, et sans que je sache si ce vague qu'il entretenait était la marque d'un guerrier resté modeste, ou d'un menteur. Cependant tout, dans son histoire, à l'opposé de ma propre situation qui était loin d'être aussi exposée, protégé que j'étais, la plupart du temps, dans mon poste avancé là-bas, dans le désert, à l'intérieur d'une base militaire sécurisée et fortifiée, tout me sembla authentique, et conforme à la vision que j'avais de mon propre avenir, lorsque j'avais intégré une brigade de renseignements : la sophistication d'armes dont je n'avais jamais entendu parler, la marche éreintante dans une nature hostile, minérale et venteuse (les bottes foulant le sable sans s'y enfoncer, comme si le sol se rappelait son passé ancien de pierre), et la camaraderie fanatique de ces anonymes que le sergent, non sans verser une larme, me décrivit admirablement, et qui, peut-être, comme il le prétendait, à rebours du sens commun, désiraient le rester.

Longtemps engagé dans une relation exigeante et jalouse avec Kérim, je n'avais jamais connu un tel sentiment d'appartenance à un groupe ; ma propre bande, il me semblait l'avoir espérée sans relâche, pourtant. Il fut un temps où, dans cet unique but, je me dévouais corps et âme aux autres, j'avais eu ce sentiment bel et bien, un temps où je pensais sans cesse à mes amis, à ceux que j'avais et qui me décevaient, et à ceux que je rêvais d'avoir. J'étais prévenant en leur compagnie, fidèle en tout point, plein d'indulgence pour leurs petites trahisons que je n'essayais pas d'expliquer. Une fois seul, mangeant, manquant de trouver le sommeil aux côtés d'une de ces filles qui ne m'intéressaient plus déjà, et même ressassant la mesquinerie dont ils avaient pu faire preuve à mon égard, je tentais encore de les rejoindre par l'imagination, et de reconstituer avec un luxe inouï de détails et de romantisme la part de leurs vies qui ne me concernait pas. De tous les liens, l'amitié me semblait le plus vrai et le plus important. Sans doute, cette croyance s'expliquait en grande partie par la fierté que j'éprouvais à être le meilleur ami de Kérim San, pilier de mon quartier et centre de mon existence d'alors, le séduisant et redoutable Kérim San. Et puis un jour, tout fut terminé entre nous, comme *mort*, c'est le mot, et je m'engageai sur le chemin menant à l'âge adulte, solitaire au dernier degré.

Mais, revenu désormais dans ma ville natale, le regret d'une vie partagée, qui toujours me parut la plus franche et la plus honorable, semblait m'avoir rattrapé – ce manque que je ne ressentais guère à Paris, ou en opération, devenait criant à C., où tout était si proche, les gens, le paysage, qu'à tout instant il semblait possible de les toucher du doigt, et la forêt, la montagne, la cathédrale, une robe rouge qui passait au loin… Et errant dans les rues de C. jusqu'au soir, assailli par mes propres contradictions, après ma première visite à la clinique, cela me revint : ici, on ne pouvait éviter de se confronter à l'image que les autres avaient de vous, bientôt elle serait comme une seconde peau… Une image étriquée, je ne croisais plus que les miroirs déformants d'une ville moyenne et étriquée, pleine, remplie à ras bord de souvenirs… Traqué, j'avais la sensation d'être épié en permanence, comme une célébrité… Tous les défauts que j'avais, tous les ratés du passé me revenaient en mémoire… Et j'étais tenté, comme nulle part ailleurs, de sombrer dans le marais de ma propre mémoire…

Ce n'est que le lendemain de mon arrivée, après l'agitation d'une nuit passée dans un hôtel minable situé dans les méandres moyenâgeux du centre, que je décidai de rendre visite à ma mère. Voilà un an que je ne l'avais vue. Elle habitait toujours à C., sur une des sept collines de la ville, dans un immeuble qui avait vieilli et rosi avec elle, à l'extrême est de la surface bâtie. S'il me restait un foyer, me disais-je ce matin-là, tandis que j'abordais ce qu'il me coûtait d'appeler les lieux de mon enfance, et que mes jambes redécouvraient l'effort particulier d'une pente très prononcée, s'il me restait un foyer il se trouverait là, sur ma gauche, à l'intérieur de la cabane calcinée qui jouxtait la voie ferrée, ou bien, plus loin, dans les impasses des ruelles courbes qui s'étalaient au hasard, sans tracé préalable ni raison pratique d'aucune sorte.

Au bout de la montée, la couronnant, pour ainsi dire, se dressait un grand mur crénelé en forme de demi-lune, qui contenait l'avancée d'un bois clair-semé en contre-haut, et que la mairie avait concédé aux habitants du quartier. Les plus jeunes venaient y peindre depuis de nombreuses années déjà, sans jamais recouvrir ou détériorer les œuvres précédentes, à l'aide de couleurs criardes et brutes, leurs modèles et héros, disparus pour la plupart, hydrocéphales aux bras exagérément musclés qu'ils pensaient capables, comme je l'avais cru moi-même, de combattre le cynisme du monde en grand et le manque de chaleur des vieillards. Au bas de ces figures d'adoration, en constituant en quelque sorte le socle, une liste de noms avait été dressée que j'avais, en mon temps, complétée, comme n'importe qui d'autre pouvait le faire :

Hilotes – Paysans – Esclaves – Mulâtres – Bandits de grand chemin – Mordeheï Anielewicz – ELN – Les chevaux, tous depuis le premier – Thomas Müntzer – André Peugeot – Pirates – Marx – Sorcières et sorciers – Parisiens – L'armée populaire – Le prudent Galilée – Stokely Carmichael – Le prudent Copernic – Makandal – Zidane – Babeuf – Madrilènes – Berlinois – Ouvrières – Moby Dick – Louise Michel – Zapata – Canuts – Le comte de Lautréamont – Lincoln – Jaurès – Makhno – Molly Bloom – Abd al-Karim – Durruti – Victor Wallard – Une femme – Rimbaud – Toussaint Louverture – Sophie Scholl – Spartacus – Patrice Lumumba – Comités de soldat – Jaurès – Thomas Sankara – Garrincha – Africains – Mères au foyer

Ainsi travaillaient, à cet endroit, les petites abeilles de la connaissance… Longeant le mur jusqu'à son point le plus élevé, on pouvait parcourir une histoire particulière du quartier et de la ville (mais peut-être n'était-elle le fait que d'un groupe restreint, de quelques personnes, et non de centaines ou de milliers), être averti qu'un certain état d'esprit régnait là, jusqu'au dernier portrait en buste, celui de Kérim, évidemment plus récent et plus éclatant, qui dépassait d'une tête tous les autres.

Il était représenté avec une affreuse chemise rouge que je l'avais souvent vu porter en effet et qui, quelques années auparavant, lui avait valu bien des moqueries, puis, comme il persistait à ne pas en éprouver de honte, de l'admiration. Ses traits étaient rendus si grossièrement qu'on ne pouvait imaginer que Kérim ait posé, donné une photographie de lui à l'artiste ou au groupe d'artistes, ou seulement accepté le principe d'une telle peinture – il avait dû désapprouver sans colère cette initiative, bien que, lorsque nous étions plus jeunes et les personnages sur le mur plus prestigieux et moins nombreux, il n'existât pour nous de plus belle réussite que d'appartenir à ce panthéon (une scène me revient : je me tiens aux côtés de Kérim sur ce même trottoir, debout dans le tournant qui fait face au mur peint, il est deux heures de l'après-midi cet été-là mais une grande ombre couvre encore nos visages et nos poitrines, comme si la matinée s'était attardée afin de préserver nos yeux également clairs, et nous regardons dans la même direction, nos respirations s'accordent au même rythme, sans doute pensons-nous de manière semblable et j'imagine que nous sommes excités et ne faisons plus qu'un et ne nous touchons pas). Le visage de Kérim paraissait trop cuivré et bouffi, avec quelque chose d'indien, de mexicain, ou bien avec quelque trace de sa maladie récente, ce qui avait été peut-être, après tout, une intuition de l'artiste dans sa recherche de la vérité du modèle, de ses souffrances futures. Les yeux de Ké surtout étaient monstrueux, extasiés, comme des boules qu'on n'aurait pas enfoncées mais simplement posées sur les orbites et qui, à la façon de deux diables à ressort dans leurs boîtes, semblaient sur le point de jaillir vers le spectateur. C'était le seul portrait au-dessous duquel aucun nom ni aucune date n'étaient inscrits.

Dans l'escalier menant à l'appartement de ma mère, parce que je craignais, plus encore qu'avec Kérim, de la trouver excessivement changée et de mesurer, à sa mauvaise mine, à ses rides supplémentaires, à l'effondrement de ses épaules, le temps que nous avions passé séparés, j'eus l'idée de la surprendre, sans songer un instant que je pourrais la faire mourir de peur. Dans le couloir, juste à gauche de la porte d'entrée, je mis la main sur un double de clés que ma mère laissait imprudemment, même quand elle était chez elle, dans une déchirure du papier peint. J'ouvris doucement puis me glissai dans le petit couloir en essayant de ne pas faire de bruit, impressionné tout à coup (les meubles de qualité, d'origine française, étaient à leur place habituelle, les murs n'avaient pas été repeints, le portemanteau menaçait toujours de tomber en morceaux), je ne pensais plus à la blague, je pensais : Ma mère s'est construit là un refuge si solide qu'elle ne ressent pas le besoin de le protéger par des précautions excessives et une porte blindée, mais moi je ne pourrai jamais posséder un tel refuge, il ne servirait à rien qu'elle me le cède pour aller finir ses jours dans un trou à rats, à rien qu'elle me le transmette, il ne servirait à rien d'acheter un appartement en tout point semblable dans le même immeuble, ou de devenir propriétaire en un quelconque endroit du globe que l'on dit paradisiaque, et sûr… L'innocence nécessaire à l'existence qu'elle continuait de mener, envers et contre tout, contre l'époque… Moi, j'appartenais pleinement à mon époque… Je m'avançai sur la pointe des pieds, cherchant à me venger de ma mère sans trop savoir pourquoi, comme un gosse. Je la trouvai dans la cuisine, me tournant le dos, affairée au-dessus de l'évier. Je dis doucement : bon-jour-ma-man.

Elle ne répondit pas, et je crus d'abord que mon babillage en était responsable, ou bien j'avais grommelé et grogné plus que parlé, éternel adolescent en sa présence, alors je la saluai à nouveau, plus distinctement, mais elle ne dit rien et ne se retourna pas, et cette fois son silence me parut différent, intentionnel, et punitif, tandis que son dos seul s'exprimait clairement : Je sais pourquoi tu es revenu. Ne sachant pas quoi faire sinon répéter inutilement, comme ces fantômes qui aspirent au repos mais auxquels on ne fait jamais don d'une parole apaisante, je m'assis, puis je fixai un moment l'heure qui s'affichait en rouge sur le côté du micro-ondes, pressant mon ventre qui gargouillait, me disant que la toilette de Kérim devait être terminée et qu'à cet instant précis, un peu partout, la plupart des gens devaient travailler plus ou moins pour vivre plus ou moins bien, sauf moi, puis je prêtai un instant attention à la radio où des gens se disputaient et, se disputant ainsi, faisaient leur travail.

Au bout de six à sept minutes qui ne me parurent pas si longues ma mère s'essuya les mains, se tourna à demi, leva les yeux et me vit. Elle ne sursauta même pas. Tout en me scrutant elle continuait d'essuyer consciencieusement ses doigts gonflés et rougis, et je ne pus m'empêcher de déceler dans le regard qu'elle m'adressait une certaine méfiance, et des traces de la déception que ce ne fût pas mon père, revenu d'entre les morts, qui soit assis à ma place. Pourtant, dans mon souvenir, mes parents ne s'étaient jamais entendus, depuis le début, leur entente n'avait porté que sur moi, et puis même plus, et mon père s'était enfui, pour aller finir ailleurs. À ma mère, il avait laissé le regret de ne pas être partie la première, regret que j'avais essayé d'atténuer de mon mieux, puis, après mon départ pour l'armée, même plus. Sans me quitter des yeux elle mit les mains sur ses hanches et pencha légèrement la tête, comme lorsqu'on s'efforce de comprendre une bizarrerie. Tu ne viens pas souvent, me dit-elle d'un ton sec.

Je fus tenté pour cette fois de m'expliquer, de lui raconter ma vie entièrement, toutes les embûches, de lui parler ouvertement, en dépit de son cœur fragile, du désert et de la chaleur et de la haine sans fin et sans but que j'avais décidé de combattre là-bas, à ma façon, opérateur aux transmissions hésitant et pudique, j'aurais pu lui parler de Kérim dont elle devait peu se soucier, de maladie, de papa, et puis de ma difficulté à vivre désormais aux endroits où d'autres soldats n'étaient pas, sans que je puisse me lier à quiconque, de ma difficulté à vivre qui allait augmentant… Mais je savais que les reproches de ma mère ne dureraient pas, et que, par ailleurs, aucun parent ne désire ces mises en accusation que sont les confessions des enfants ayant quitté leur famille et tentant de justifier leur mauvaise vie, comme si cette dernière était, au mieux, la conséquence d'un enchaînement de circonstances malheureux, accidentel, ou bien le résultat d'une éducation défaillante et d'un amour tordu – comme si le prix minimal à payer pour être libéré de sa famille n'était pas la solitude et le doute.

En fin de compte, je le savais, ma mère était contente, et il était inutile de l'accabler. Elle me trouvait changé, comme souvent, mais aujourd'hui dans le bon sens, me dit-elle, et même ma réserve, qui m'empêchait de répondre à ses questions en employant plus d'une dizaine de mots, et qui avait bien d'autres raisons que la culpabilité de ne pas la voir assez, trouva grâce à ses yeux. Elle était détendue ; elle s'adressait à moi comme à un ami. Je crois qu'elle considérait que j'étais maintenant, en tant qu'être dont elle avait eu assez longtemps la responsabilité, en quelque sorte fini, même si je n'étais pas encore marié, ni père, à trente ans révolus, et que ses espoirs d'une vie meilleure pour moi avaient été déçus. Mais cela aussi, elle disait le comprendre, en utilisant des expressions et des tournures surprenantes que je ne lui avais jamais entendues, suggérant que, engagé comme soldat, j'étais fiancé à la nation, d'une certaine manière, et qu'elle-même était naturellement devenue mon enfant, parmi des millions d'autres. Elle se mit à rire ; cette façon de voir lui plaisait. Puis elle évoqua à nouveau mon enfance, et me demanda sans prévenir des nouvelles de Kérim dont, pour la première fois à ma connaissance, elle n'écorcha pas exprès le nom de famille. Sans attendre ma réponse, elle se leva et ramena une photo de classe qu'elle avait retrouvée dans mes affaires peu de temps auparavant : elle datait de ma première année au lycée.

Je me rappelais parfaitement : le bâtiment avait été construit dans une pente, suivant un système ingénieux de terrasses, comme s'il avait été impossible de choisir un emplacement plus propice, ou de ne pas rendre un hommage aberrant à la culture traditionnelle du pays. On nous avait réunis pour la photo sur le grand belvédère qui faisait office de cour, donnait sur les terrains de sport trente mètres en contrebas et nous offrait un panorama complet de la montagne ; la laissait nous approcher et se pencher sur notre cas, d'un peu trop près. Avec Kérim nous nous étions installés au dernier rang, debout sur un banc, nous faisions à peu près la même taille, et portions pareillement autant de barbe que nos mentons et nos joues pouvaient en produire. Mais, tandis que je fixais l'objectif du regard en m'appliquant à ne pas sourire, embarrassé de mes bras que je croisais et décroisais nerveusement, la prise me surprenant finalement dans la posture la plus ridicule qui soit, penché sur le côté et sur le point de tomber, Kérim avait levé les yeux au ciel à l'instant de la photo, en direction des nuages gris, semblant contempler très haut un avenir différent, trop tôt adulte, un orage effroyable… Malheur, me dis-je, malheur aux beautés trop parfaites de l'adolescence ; malheur à ceux qui atteignent leur propre sommet avant l'âge de vingt ans. Quand ton ami est passé la dernière fois, me dit ma mère, on a regardé cette photo un bon moment, il m'a raconté des choses sur le lycée que je ne savais pas, ou que j'avais oubliées, et on a bien pensé à toi. Mais tu sais qu'il est à l'hôpital maintenant ? Je voulais te le dire. Tu es allé le voir ? Il t'a dit qu'il sortait, me demanda ma mère, bientôt ? Il nous manque, dans le quartier, ce n'est pas pareil sans lui.

Une fois ma surprise passée, songeant à l'avantage (c'est le terme qui me vint à l'esprit) sur moi que ma mère avait donné à Kérim en le recevant, comme une intolérable supériorité morale, je me fâchai. Je lui reprochai de ne pas m'avoir averti, de ça et du reste, d'avoir profité de mon absence qui était, comme elle le savait, parfaitement justifiée ; je déplorai qu'elle parle de moi sans mon accord, particulièrement avec Kérim qu'elle avait toujours négligé, si elle se souvenait bien, d'ailleurs avec combien de mes anciens amis que, pourtant, elle avait toujours trouvés louches, avait-elle fait la même chose ? J'étais profondément troublé par le ton de mes remontrances, mais il fut impossible de m'arrêter. Je lui dis enfin que j'avais vu Kérim la veille et qu'une fois suffirait bien, qu'il reste là où il était… Alors je m'aperçus que j'avais passé une limite, peu importait laquelle, et je me souviens du regard que ma mère m'adressa alors… C'était celui du facteur que j'avais croisé en bas, c'était celui des clients du bistrot de la grand-place qui prenaient leur café dehors malgré le froid, debout, au petit matin, et surveillaient les allées et venues du quartier, celui de Kérim hier, le mien aussi, lorsque je vivais encore ici, un mélange de pitié et de mépris, animé d'une rage qui ne dormait jamais… J'avais oublié qu'on pouvait être regardé ainsi par sa propre mère… Bafouillant et m'excusant presque, je lui dis ne pas pouvoir rester plus longtemps, puis m'en allai précipitamment.

Retraversant ensuite sans m'attarder le quartier à l'heure affamée qui précède le déjeuner, assez éloigné de mon état d'esprit naguère, *rollin' down the street, smokin' indo, sippin' on gin and juice*, afin d'échapper quelques instants au paysage poisseux de mon enfance où, malgré les nombreux immeubles de rapport et une petite tour, aucune élévation ne paraissait possible, au-dessus du passé, au-dessus de la règle du passé, je levai les yeux vers la montagne qui dressait un mur vert sombre par-delà les toits et bouchait l'horizon, et, alors que le crépuscule était encore loin, je crus voir deux puissants projecteurs balayer le ciel de leurs faisceaux qui se croisaient régulièrement vers le sommet et saturaient de lumière une croix frêle, plantée là comme si elle était directement tombée des nuages. Je ne comprenais pas ce que ces lumières signalaient, traçant des cercles sur un fond de ciel blanc et vide, ni à quoi elles servaient. À cet endroit perché et inaccessible en voiture ne se trouvait, si je ne me trompais pas, qu'un ermitage que j'avais toujours cru abandonné, hanté, et, lui faisant face, un petit hôtel qui accueillait pour l'essentiel des pèlerins. Mais sitôt retrouvé ce souvenir il m'échappa, et je pensai à autre chose, tout en descendant la colline, engourdi par le froid.

La lune paradait encore au milieu du ciel bleu et inamical de janvier, et je rêvai un moment à la nuit dans l'est, là-bas, sous la tente, au sommeil et à la nuit d'un été incomparable.

2

Je suivis le cours de la rivière jusqu'à mon hôtel, puis, une fois dans ma chambre, haletant, je fixai longuement mon visage dans la glace de la salle de bains. Je me sentais fiévreux, pris d'une fièvre forte qui ne pouvait qu'être étrangère et je ne mangeai pas et je passai l'après-midi couché, craignant pour ma vie si je me risquais au-dehors, essayant de temps à autre de joindre Morini au camp de base, non par inquiétude, encore que mon utilité sur place me paraissait supérieure à la sienne, mais pour respirer un peu de l'air propre du désert, ou, au moins, d'en sentir les bienfaits dans la voix de mon remplaçant. Personne ne répondit. Je ne sais même pas si j'avais composé le bon numéro. Visible par la fenêtre, de l'autre côté de la petite rue, une façade aux larges traînées noires laissées par la pluie semblait se rapprocher, et je tentais de l'ignorer en me concentrant sur l'écran de télévision, sans qu'aucune des images qui défilaient à un rythme effréné me soit compréhensible, catastrophe naturelle, discours, blindés français dans la fournaise, ou bien en reprenant cent fois mon livre, récit d'une patrouille pendant la Deuxième Guerre mondiale. J'étais incapable de sortir. Et, m'endormant tout habillé, je fis un rêve, de ceux qui se prolongent pendant la veille et vous poussent à agir, agir.

Je me retrouvai dans la chambre d'un hôtel pas exactement luxueux, mais très confortable, sans ostentation, *continental* était le mot que je me répétais. La porte-fenêtre légèrement entrouverte donnait sur une plage, et de ma place je pouvais voir des palmiers aux feuilles naines et tachetées de marron. Je ne pouvais encore me lever, et profiter de la vue de la mer que je devinais, dont je sentais l'odeur : je ne devais pas, pensais-je, me risquer sur la plage où se trouvaient enfouis, je le savais bien, des pièges de toutes sortes et des mines. Mais je pouvais bouger mes bras et tourner la tête : à côté de moi était allongée une femme endormie, qui me présentait son dos. Puis je me retrouvai soudain à l'extérieur avec mon énigmatique compagne, qui ressemblait, non par l'aspect mais plutôt, si je puis dire, par sa couleur d'âme, à une ancienne petite amie depuis longtemps perdue de vue, nous étions sur le point de découvrir un pays inconnu, dont le nom même m'était inconnu, souffrant de la chaleur mais excités comme deux touristes. Nous traversâmes d'abord un de ces ponts géants, actionné mécaniquement pour s'ouvrir en deux au passage des péniches et des paquebots de croisière, et, parvenus au milieu du pont, nous ouvrîmes une trappe puis descendîmes pour visiter les entrailles du monstre (je le désignai ainsi à ma compagne, qui fit la moue, l'air peu convaincu), et tenter d'en comprendre les rouages, en ingénieurs (mais je crois qu'il s'agissait d'une vocation plus que d'un métier). Quand je ressortis à l'air libre, la femme avait disparu. Mais je ne la cherchais pas. Et, à partir de cet instant, j'eus la certitude non seulement de me trouver en Chine, mais encore d'avoir l'obligation de demeurer dans ce pays une semaine de plus, seul (je savais que la femme ne reviendrait pas), avant de pouvoir retourner chez moi (où était-ce, je ne me posais pas la question, mais il était certain qu'il s'agissait d'un endroit tout à fait à l'opposé de celui où je me trouvais, et je ne me demandais pas non plus si je serais attendu à mon arrivée, par la femme sans nom ou par une autre personne). Dès lors, je passais le plus clair de mes journées, qui s'étiraient à n'en plus finir, à arpenter le pont qui chaque fois me paraissait plus long, de même que, sur les quais où j'étais descendu par désœuvrement, les entrepôts vastes semblaient grandir au fur et à mesure que je les parcourais, renfermant des empilements gigantesques de cages pour animaux, parfois vides, parfois agitées de soubresauts et de piaillements, comme, me disais-je, au tout début d'une rébellion. Je ne dépassais jamais, lors de mes diverses pérégrinations, les limites d'un cercle prudent autour de mon hôtel. Pourtant, si j'avais toujours le sentiment d'être en Chine, la langue parlée ne m'était plus du tout étrangère, j'en comprenais facilement la lettre et l'esprit, me disais-je fièrement, aucun effort ne m'était plus nécessaire. Et je crois que c'est l'ennui profond que je finis par éprouver, vers le milieu de mon séjour, qui me réveilla.

Dans le demi-sommeil qui suivit, de nombreuses pensées se bousculèrent dans mon esprit, puis, comme je réussis à ouvrir complètement les yeux pour contempler les murs de ma triste chambre, terne et comme coincée dans le passé, je me demandai pour quelle raison j'étais revenu à C., obéissant à une impulsion que je ne comprenais toujours pas. Mais quelque barrière bloqua immédiatement mes questions : il n'était plus dans mes habitudes de revenir sur ce que je faisais… Sur mes motivations profondes, et le sens du moindre geste… Quelques années auparavant, précisément au moment où j'avais quitté C. et l'influence de Kérim, la vie scandée par Kérim, pour un camp d'entraînement dans l'Est, j'avais décidé de ne plus réfléchir, et aussi de ne plus jamais me montrer indécis, à cette époque les deux choses étaient pour moi équivalentes, mais plutôt de suivre toujours mon instinct, advienne que pourra. Cependant, si cette méthode irrationnelle m'avait permis de m'éloigner de C. et m'avait amené, d'une certaine façon, à *réussir*, quoi, je ne le savais pas encore, si cette méthode avait fonctionné un temps, elle m'avait également poussé à revenir, refermant une boucle alors que je pensais suivre la ligne droite, comme si mes années dans l'armée, mes années d'évitement et de fuite ne m'avaient pas profondément marqué, en fin de compte, comme si je n'avais été qu'un spectateur peu concerné de ma propre existence et que, pendant tout ce temps où je croyais faire ma vie, seul et donc avec quelque mérite, j'avais seulement négligé ce qui m'importait vraiment, repoussant à plus tard le règlement de certains problèmes qui étaient revenus me hanter au point de me posséder et de guider mes pas, ces derniers jours.

Et pourtant, quel sentiment de libération j'avais éprouvé en faisant mon paquetage, sept ans auparavant, sans même savoir ce que je devais emporter pour adoucir les marches dantesques de rigueur, ni la façon d'habituer mon psychisme à la hiérarchie rigide et aux ordres que je ne manquerais pas de recevoir, quel râle de plaisir, et quelles bouffées de liberté pendant le long voyage en train : le paysage était si morne qu'aucun relief ne venait me gâcher la vue, et je pouvais chercher des yeux un ennemi naturel à combattre, peut-être les tonnes de boue et de caillasse qui défiaient le tout jeune homme que j'étais alors, un ennemi que je pourrais patiemment, avec ruse, rallier à ma cause… De proche en proche les petits bois offraient un couvert splendide, on aurait pu s'y cacher pendant une éternité, enrôlé dans une guerre contre la nature, sans nom, sans paix… Mais cette façon de voir était encore celle je crois des amis que je quittais, de ma prime jeunesse, de la société que je méprisais, et je sentais bien, à ce moment-là, que l'essentiel m'échappait.

Plus tard, en arrivant dans la chambrée qu'on m'avait indiquée, en rencontrant mes camarades et en partageant leur angoisse de ne pas se montrer à la hauteur, eux qui, plus encore que moi, étaient volontaires, et espéraient dépasser leur propre volonté ; en me mettant, comme les vingt autres hommes de mon groupe et à peu près simultané-ment, au garde-à-vous, en définitive rompant d'un coup avec ma vie antérieure, je me sentis tout à coup exister, par moi-même ; j'avais brutalement trouvé ma place. La force, la force uniquement m'impor-tait désormais. Dès lors, il me fut indifférent de cra-pahuter le jour et la nuit, et de subir une promiscuité dont la plupart des recrues souffraient et à laquelle il était impossible d'échapper, ne serait-ce que pour quelques heures : c'était pour moi comme un jeu, exaltant. J'étais le premier levé chaque matin. Je fai-sais mon lit, nettoyais mon équipement et repassais

mon uniforme en chantonnant. J'accueillais les fou-
lures et les ampoules, et même les ongles arrachés
avec reconnaissance, persuadé que la douleur était
un rappel utile de ma condition. Je n'étais plus rien,
ne prétendais plus à rien. Je ne voulais plus être personne à l'avenir, ou alors une arme simplement, un
bâton, à choisir, mais, pourtant, parce que les excès
de mon enthousiasme étaient aussi contagieux que
l'auraient été ceux de ma mauvaise humeur et que,
mes camarades et moi, en émulation permanente et
presque sauvage pour faire la preuve de notre impli-
cation supérieure, inédite, nous nous étions distin-
gués lors de deux exercices de reconnaissance
consécutifs, aidant même, la deuxième fois, notre
officier encadrant à retrouver son chemin, je fus dési-
gné chef de groupe, ce qui était, je le compris immédiatement, davantage une contrainte susceptible de
ruiner mon bonheur actuel qu'un honneur. Mais
l'armée avait sa propre logique de promotion et de
récompense, je supposai, son idée sur la question et
sur moi, elle avait peut-être décelé mon potentiel
mieux que moi-même. Et comme, en outre, contre
toute attente, l'obéissance, non pas réfléchie ou argu-
mentée ou acceptée à contrecœur, mais absolue, me
procurait les plus grandes joies, j'acceptai sans souffler mot, ému.

Je ne le regrettai pas : dans ce rôle je m'épanouis,
florissant pour ainsi dire, et, au bout de trois
semaines, grâce entre autres à mes soins attentifs, le
groupe était devenu extrêmement uni, d'une façon
qui m'inquiétait presque. Nous avions éliminé les
inadaptés qui freinaient notre progression, quelques
hommes qui ne savaient pas ce qu'ils voulaient et
auxquels il fallait indiquer clairement ce qu'ils

devaient vouloir, la plupart abandonnant d'eux-mêmes après une ou deux vexations que nous leur infligions et qui s'ajoutaient à l'ordinaire, du dentifrice sur leurs tenues et dans leurs chaussures, quelquefois un croche-patte au réfectoire tandis qu'ils portaient leur plateau et cherchaient à nous éviter, non loin des gradés qui ne réagissaient pas et, même, tournant la tête vers nous au bruit de la chute, avaient l'air d'approuver. Pourtant, un type s'obstina, il était des Ardennes, et ne manquait jamais une occasion de se plaindre de l'équipement vétuste, de l'encadrement selon lui incompétent, de nous qui ne l'aidions pas et ne l'encouragions pas lors des exercices où il éprouvait les pires difficultés, passant son énergie dans des plaintes toujours plus nombreuses et insensées, la solidarité doit primer dans l'armée c'est la base de tout, disait-il, il pestait contre le mauvais temps et son voisin de lit qui claquait des dents la nuit, contre les musulmans et les Noirs, ainsi s'exprimait-il, qu'il tenait confusément pour responsables de son engagement parce qu'ils avaient été, apparemment, un sujet de dispute constant avec son ex-femme. En vérité, on sentait qu'il adorait être parmi nous, et râler à n'en plus finir, jusqu'à ce que, peut-être, un jour, il ait épuisé ses motifs de mécontentement. Étrangement, il me semblait partager une partie de ses griefs, c'était mon mauvais esprit de naguère qui n'abdiquait pas, tentait de me persuader, jamais à ma place et jamais satisfait, lorsque je baissais ma garde, pendant les minutes autrement adorables qui précédaient un sommeil de bûche. Je me doutais que c'était le genre de lamentations que j'aurais moi-même poussées, quelques mois auparavant. Mais désormais, comme j'aurais regardé des poissons dans un aquarium, admiratif devant le spectacle de leurs couleurs et de leurs déplacements mais conscient de suivre les règles d'un élément tout différent qui m'avantageait, aucune émotion, aucun sentiment ne s'attachait à ces jérémiades, elles me trouvaient froid, autre, et métamorphosé.

Les jours passant, les hommes qu'il ne cessait d'irriter se mirent à envisager pour l'Ardennais les punitions les plus cruelles, lors de réunions improvisées où les propositions de châtiment et leurs descriptions finirent par devenir insoutenables, en tout cas pour moi, qui me tenais prudemment en retrait. Faisant assaut d'imagination sadique, mais ne parvenant pas à se mettre d'accord, ils furent obligés de se tourner vers moi, chef de groupe, et il me fallut trancher. Comprenant qu'il ne servirait à rien de les dissuader, j'acceptai le principe d'une intimidation, après tout nous pataugions bien dans la gadoue du matin au soir, et cela sans jamais protester, alors que deux d'entre nous avaient de l'asthme et qu'un autre pesait plus de cent dix kilos. Je réussis tout de même à les convaincre de ne pas se comporter violemment, extrêmement, dans un premier temps. Et nous nous contentâmes, une nuit, lorsqu'il fut enfin assoupi, de placer un sac plastique sur la tête du pauvre diable, tandis que je lui susurrais à l'oreille notre avertissement. Je ne sais pas si, terrorisé et cherchant de l'air bruyamment, il entendit distinctement mes menaces. Je m'attendais à l'entendre pleurer le reste de la nuit, ou à ce qu'il se lève immédiatement et aille se plaindre, une nouvelle fois, auprès du commandement, mais, une fois qu'il eut repris sa respiration, plus un son ne nous parvint de la couche de l'Ardennais, pas même un soupir ou un craquement du lit. Personne n'alla vérifier si l'homme était toujours en vie. Il quitta le camp dès le lendemain, sans un mot, avec, dans son regard que je croisai brièvement au matin, la crainte installée et la férocité que nous aurions aimé entrevoir en lui dès le début de nos classes. Je crois qu'il était de Charleville.

Tout de même, de temps à autre, la fatigue et le découragement me gagnaient, face aux épreuves qui nous poussaient dans nos retranchements, et je repensais alors à ma mère, à C., et à Kérim : je me demandais ce qu'ils auraient dit s'ils m'avaient vu courir à droite et à gauche, me coucher ou sauter de façon absurde, et cependant nager dans le bonheur. Ma mère aurait pleuré tout en hochant la tête. Et Kérim aurait eu la même expression que lorsqu'il lui arrivait de rencontrer quelqu'un qu'il ne voulait pas voir, il aurait redressé légèrement le menton, gardé les yeux dans le vague pendant quelques secondes, puis il aurait tourné les talons et ne m'aurait plus jamais adressé la parole ni pensé à moi de nouveau, meilleur ami ou pas. Je ne saurais dire si, à cette époque, j'avais besoin d'imaginer sa désapprobation comme manière d'encouragement à persévérer, si j'avais besoin qu'il incarne dans mes pensées le sens opposé, dans lequel j'avais refusé de m'engager, pour ma propre sauvegarde. Mais, au fil des années, j'avais oublié mes intentions premières, mon départ qui avait été comme un déchirement, une délivrance et un déchirement, et, en y réfléchissant, la personne que j'avais revue à l'hôpital me semblait ne plus rien avoir à faire avec celle, dédaigneuse et obtuse, qui aurait désapprouvé les décisions que j'avais prises sans essayer un instant de se mettre à ma place – mais en étais-je capable, plus que lui ? Et, les années passant, j'avais éprouvé quelquefois violemment le désir de le revoir, et de retrouver avec lui toute ma jeunesse à laquelle j'avais si brusquement tourné le dos.

Je me réveillai en sursaut à quatre heures du matin, frais et reposé. Je me douchai sans me presser, me lavant méthodiquement, puis je me rasai et m'habillai avec soin : pantalon de toile beige, chemise sombre, mes grosses chaussures nettoyées, mon manteau brossé que j'installai avec précaution sur le dossier d'un fauteuil, et une écharpe protectrice et douce, enroulée par avance autour de mon cou. Puis je m'assis sur mon lit, et j'attendis. À six heures et demie, soucieux de m'être trop parfumé et d'incommoder peut-être Kérim, je repris une douche. Rassis, des bouffées de chaleur m'envahirent, mais je ne voulais pas m'allonger, ne serait-ce qu'un instant, pour éviter de froisser mes vêtements. Enfin, à neuf heures précises, les paupières craquelées, je partis pour l'hôpital. Kérim n'était pas certain que je reviendrais avant la fin, me dit-il d'emblée. Mais il semblait heureux de me voir.

À compter de ce jour, nous reprîmes le cours de notre amitié comme s'il n'avait jamais été interrompu, et comme si, en dépit du bon sens, aucun de nous n'avait changé. Le bon sens, c'est ce qui nous aurait sauvés tous les deux, moi au moins, et nous aurait évité la bêtise de rejouer une partie dont l'issue nous était déjà connue – pas de recommencement en amitié, c'est comme ça. En amour sans doute, beaucoup d'aveuglement est toujours possible, et souhaitable, mais pas en amitié. Contre cet état de fait, de même que contre la maladie, il n'y a pas de révolte qui tienne ; il n'y a pas de *mais* qui tienne, il n'y a pas de *ça suffit* qui tienne. Malade et sorti du rêve de son existence, lucide, il se peut que Kérim ait compris cela plus rapidement que moi. Mais je refusais de renoncer alors, de le quitter à nouveau, d'abord par orgueil, certainement ; je m'accrochais, à ma propre mièvrerie, à l'image idéale que je continuais à avoir de Kérim, à un désir de jouvence, peut-être. Et les mille questions que j'avais à lui poser, ou plutôt les doutes que j'avais à propos de tout, sur moi-même et sur les autres, et dont je voulais tout à coup lui faire part, marées continues qui submergeaient mes pensées et que je le croyais capable de faire reculer et disparaître, de façon miraculeuse, capable dans son état d'accéder à certaines vérités d'ordinaire hors de portée et, qui plus est, impuissant à m'éviter – ces questions je les tus lors de ma deuxième visite, et aussi lors des quatre suivantes. Peut-être était-ce par politesse, peut-être était-ce une stratégie pour obtenir en fin de compte les réponses que je souhaitais obtenir. En tous les cas, au lieu de l'interroger sans détours sur sa situation, ce qu'il attendait de moi et ce qu'il convenait de faire pour lui, j'assommai plusieurs jours consécutivement toutes les infirmières qui se succédaient au chevet de Ké, et même une interne, avec ma peur des microbes et mon souci de l'hygiène que, au vu des réactions exaspérées qu'ils ne tardèrent pas à susciter, je poussais à une extrémité inconnue jusqu'alors.

L'autre raison qui me fit retarder l'interrogatoire tant de fois répété dans mon esprit est qu'il me fallut m'habituer à la chambre de Ké. Cette pièce n'était pas, contrairement à ce que je lus plus tard ici ou là, un puits de clarté, un pur lieu de méditation, ou

bien le saint des saints que l'on a décrit complaisam-
ment, où officiait un homme parvenu au bout de
sa route et transformé, par suite de la révélation de
sa propre mortalité, en grand sage, même si, comme
je le constatai rapidement, des hommes et des
femmes de tous âges et de toutes conditions se présentaient en nombre à l'accueil du service. Ils espéraient parler au nouvellement fameux Kérim San,
connu individuellement de beaucoup, à C., mais à
présent doté de l'aura supplémentaire qui convainc
les foules, ainsi que le rapportèrent les télévisions et
nombre de journaux régionaux : on craignait qu'il
meure avant d'avoir pu mener à bien tous les projets d'utilité publique qu'il avait déjà entrepris, dis-
pensé une bonne parole, un conseil forcément utile,
béni le petit dernier ou bien, dans le meilleur des
cas, écouté confidences et cas de conscience. Mais
il était impossible que tant d'inconscients et d'égoïs-
tes pénètrent le service d'hématologie, si sérieux et
si grave, impensable qu'ils s'introduisent dans la
chambre de Ké, où on était davantage responsabi-
lisé que n'importe où ailleurs – c'est qu'on était rede-
vable, après avoir décidé de le voir et de pousser sa
porte, de sa propre santé. Dans ce petit monde de
trois mètres sur quatre auquel se résumait à présent
toute l'existence de Ké, la propreté était la première
des obsessions, qui donnait sa couleur aux quatre
murs et même à la lumière du jour. Et puis toutes
les perceptions étaient modifiées, par le fait qu'il était
presque impossible de déambuler ou de s'asseoir et
que, sous la blouse, sous le masque, les gants et le
chapeau de plastique qu'on devait enfiler soigneusement à chaque passage, on suait abondamment,
on avait peur – j'avais l'impression qu'il s'agissait,

un peu, de provoquer un mal-être qui se rapproche très vaguement de celui du patient, et, par là, de susciter une empathie qu'on ne ressentait pas forcément, et même jamais, aussi étranger au lieu et à la situation que si on avait visité l'intérieur d'un sous-marin ou d'une navette spatiale.

Constamment, Ké était relié à deux poches de liquide au moins, accrochées à une paterne qui se trouvait à la droite de son lit mais jamais à sa gauche, et, quelquefois, une machine impressionnante armée de six grosses seringues sous vitre lui injectait autant de produits incolores que les médecins pouvaient en inventer, pour une durée qu'une infirmière programmait avant de quitter la chambre, une fois rentré le code qui levait la sécurité. De l'autre côté du lit se trouvait un grand plateau qui servait de table pour les repas et où étaient posées le reste du temps les brochures d'information que Kérim ne lisait pas, les nombreux formulaires de consentement qu'il devait signer, mais aussi les pilules de tailles et de formes diverses qu'il devait prendre, et qu'on écrasait généralement sur place, à l'aide d'un pilon, afin qu'elles puissent passer son œsophage enflammé par la chimiothérapie. En dehors de cet attirail pratique, des câbles qui couraient dans toute la pièce et du lit appareillé et volumineux, sans doute parce que chaque magazine, chaque vêtement qu'il réclamait, chaque cadeau qu'on apportait devait être stérilisé au préalable, Ké n'avait autour de lui que peu d'objets personnels qui auraient égayé la chambre anonyme, aseptisée, hostile et repoussante.

Mais à cela et au reste, pour peu qu'on en ait la volonté, me disais-je, on s'habituait, tout comme on s'habituait à la discipline, à la mauvaise nourriture ou à la fréquentation de la mort. Néanmoins, je dois dire qu'une chose m'était difficile à supporter, même après quelques jours passés en sa compagnie, parce qu'elle me semblait la preuve d'un aveuglement malsain : Ké, malgré son corps marqué et contre l'évidence, soutenait qu'il n'était pas malade, que c'était le traitement qui l'avait affaibli et détraqué. Sur ce point il est vrai, ainsi que je le découvris peu de temps après, il n'avait pas complètement tort : sa leucémie, dite aiguë, avait été diagnostiquée après que Ké eut remarqué, sur ses bras et sur ses jambes, des bleus qui s'étaient formés sans raison et ne disparaissaient pas, mais il ne ressentait à ce moment-là aucun inconfort ni aucune douleur, me dit-il, il était bien portant et même en grande forme, aussi vif, musclé et endurant que moi je pouvais l'être à cet instant (à cette remarque je rougis derrière mon masque, j'éprouvai une honteuse sensation de bien-être), en fait il était alors dans la forme de sa vie, c'était du moins ce qu'il croyait, avec le recul. Peut-être s'était-il senti, une fois ou l'autre, légèrement fatigué, mais qui, avec les vies que nous sommes obligés de mener, pourrait affirmer sans se tromper et sans se couvrir de ridicule que cette fatigue et ses malaises étaient causés par une maladie improbable et pratiquement incurable, à l'âge de trente et un ans, plutôt que par le manque de sommeil, les soucis et la tension nerveuse? Et à ce moment-là beaucoup de gens comptaient sur moi, il en a toujours été ainsi, poursuivit Kérim après un long silence, et je ne pensais pas avoir le loisir d'être affaibli, puis il se tut sans préciser davantage.

Une fois que le mal fut établi, nommé, et lui-même réduit, en quelque sorte, au rôle de grand malade, après que Kérim, encore incrédule, eut demandé deux analyses de sang complémentaires, alors même que les résultats de la première étaient si lamentables que le doute n'était pas permis et qu'il ne faisait que perdre du temps, après enfin qu'on lui eut décrit avec exhaustivité les risques encourus s'il refusait de se soigner, à savoir, pour les plus courants, l'hémorragie généralisée, l'accident vasculaire cérébral ou l'embolie pulmonaire, il avait été enfermé en chambre stérile et le traitement par chimiothérapie avait commencé, attaquant et bousillant presque immédiatement son organisme, non seulement les cellules monstrueuses mais aussi les cellules saines, en fait son corps entier. Tout raser, tout détruire, puis reconstruire à partir de fondations saines, s'il en restait : j'avais vu des pays traités de cette manière, alors pourquoi pas un seul homme, et une seule maladie ?

Ké ne s'étendit jamais sur ses souffrances. Celles-ci se devinaient facilement (peut-être avais-je tendance à les exagérer, à les rendre inhumaines : c'était, je me disais, ce qui nous séparait à coup sûr, ce qui prouvait que nous restions lui et moi, chacun, dans sa peau et à sa place), aux stigmates qui m'avaient frappé lors de ma première visite et que j'ai déjà décrits, qui ne s'accentuaient ni ne se multipliaient, mais restaient bien visibles, comme si la maladie se moquait de son hôte et du poison qu'il s'injectait volontairement dans les veines. Malgré tout, il ne faisait pas état de ses douleurs : je supposais, ainsi que l'indiquait le guide du malade, de la famille et des proches que je m'étais procuré, que Ké était pourtant sujet à des nausées, de terribles diarrhées, à des maux de tête défiant l'imagination, mais il n'en montra jamais rien, il ne se précipita pas une seule fois aux toilettes en ma présence ni ne me fit écourter une de mes visites, et, cachant ainsi ce qu'il vivait, j'eus l'impression que c'était son âme même, estropiée par la leucémie, sa nature présente qu'il cherchait à me dissimuler, par pudeur ou par défi. Mais l'esprit ne cesse de chercher, non quand il le doit mais quand il le veut, en véritable inquisiteur : inconsciemment, sous la peau pelée et parsemée de boutons écarlates, sous les escarres, derrière les yeux vitreux, je tentais de retrouver mon cher et vieux Ké, l'homme que j'avais connu aimait badiner, de temps en temps, celui-là ne plaisantait plus ; celui-là ne faisait que vitupérer.

Je crois que je cherchais également, dans son regard et dans son attitude, le visitant et l'observant attentivement sur son lit d'hôpital jour après jour, les traces du grand délinquant que Kérim avait été même si, à ma connaissance, il ne fut jamais recherché par la police ni ne connut la prison, si bien qu'il pouvait encore, en évoquant ses mystérieuses activités, passées comme présentes, parler de *ses affaires* – de fait, je n'en croyais pas mes yeux, il avait l'air maintenant, je n'aurais su expliquer ce qui m'avait mis cette image en tête, d'un homme d'affaires attendant anxieusement le retournement invraisemblable de situation qui pourrait le sauver. Et, lui faisant face une grande partie de la journée dans une pièce minuscule, je ne reconnaissais pas davantage l'homme d'une intelligence exceptionnelle que j'avais côtoyé et admiré si longtemps, et qui m'avait en fin de compte appris à *réfléchir*, Kérim était à présent péremptoire, peu convaincant et peu concerné par autre chose que lui-même, comme il était normal en pareil cas, son insatiable curiosité et sa culture vaste et diverse semblaient avoir disparu avec sa santé. Pour être juste, il faudrait ajouter que l'homme qui avait fait preuve de méchanceté et de rancune à mon égard s'était de la même façon effacé (c'était la dernière image que j'avais gardée de lui, comme il avait dû, de son côté, maudire mon ingratitude et ma faiblesse de caractère), il ne paraissait rien rester de celui qui s'était séparé de moi comme on se sépare d'un employé dont on est mécontent, lorsque, préoccupé par mon propre avenir et de moins en moins enclin à consentir aux projets que Ké formait pour moi, j'avais fait mine de m'éloigner et d'avoir une opinion différente de la sienne – pour dire la vérité, à l'écouter et à le fréquenter tous ces jours, je ne retrouvai pas grand-chose du passé, Ké semblait s'être débarrassé de ces peaux mortes, et la maladie avoir fait de lui un homme entièrement neuf. Et tant de choses s'étaient passées depuis sept ans!

Ce qui n'avait pas changé chez lui, en revanche, c'était sa fantaisie, et le goût prononcé, que je lui avais toujours connu, pour les énigmes et les complots, avérés ou non. Et il évoqua plus d'une fois devant moi, non pas son état actuel sur lequel en définitive il ne m'apprit rien, mais les causes possibles de sa maladie, en dénombrant et en échafaudant les hypothèses les plus farfelues, ou qui, du moins, me paraissaient telles. Du flou de ses raisonnements, il ressortait qu'à son humble avis, sa leucémie ne pouvait être qu'un virus, à ce propos les élucubrations du corps médical n'avaient aucune espèce d'intérêt, virus qu'il aurait contracté par malchance et dont un autre homme, une sorte de savant fou et maléfique, avait été à l'origine et beaucoup d'autres hommes porteurs, avant lui – ceci expliquait que, en plus du fait qu'il ne se sentait nullement responsable de ce qui lui arrivait, pour Ké ce virus avait pris figure humaine. Et je crois que, d'après les descriptions abondantes qu'il en faisait, celui-ci prenait successivement, dans son imagination foisonnante, le visage des gens qu'il détestait le plus ; en fait, je suis presque certain qu'il lui prêtait la plupart du temps l'apparence de son propre frère aîné.

D'autres fois, c'était comme s'il décrivait un sentiment uniquement, une émotion induite par la leucémie et qui se confondait avec elle, alors sa maladie devenait la peur inextinguible qu'il éprouvait mais ne disait pas, et qui trouvait, comme un fleuve en crue, ce chemin pour se manifester, ou encore la part de mort que nous transportons tous dans nos cellules, un masque figé en un rictus effrayant qui devait se rendre dans sa chambre, la nuit, lors de ses poussées de fièvre, et rester debout à ses côtés, immobile et patient… Pour moi, comme Ké me demandait mon opinion, les virus ressemblaient d'abord à des sphères piquées de clous, ainsi que la télévision nous l'avait enseigné lorsque nous étions enfants, au plus fort de l'épidémie du sida, mais, à bien y penser, ainsi que je le dis à Kérim le lendemain, je me représentais les agents de sa leucémie davantage comme des insectes, des millions d'insectes invisibles et affairés, ou alors comme de minuscules crabes qui se nourriraient de son sang et en tireraient leur couleur vive (je détestai aussitôt ces visions banales et blessantes, et je me sentis coupable de lui en avoir parlé, ne pouvant me mettre à sa place je ne faisais que le blesser).

Une autre idée que Ké, têtu, avait eue dans son coin, en dépit probablement des dénégations répétées de ses médecins, et qu'il tenait désormais pour certaine, était que ses gènes l'avaient trahi, et que ses parents, en particulier, lui avaient légué un mal dont ils ne souffraient pas eux-mêmes, dont ils s'étaient déchargés sur lui en mélangeant stupidement leurs gènes opposés, à son idée, sa mère qui avait quitté la Turquie à l'âge de cinq ans et son père, dont la famille originaire du Laos s'était installée en France voilà déjà trois générations, Laos où il ne s'était jamais rendu mais qu'il s'était toujours représenté comme une jungle reposant sur un marigot, bouillon de culture favorisant les pires infections. Son propre métissage avait toujours été, de toute façon, un problème insoluble pour Ké, en fait rien d'autre qu'une malédiction, et il avait mis au secret ce qu'il considérait lui-même, il me l'avait confié un jour, comme un travers, il l'avait enfoui au plus profond de lui, n'en parlait pas, ne le reconnaissait pas, mais se battait pour un mot ou un regard, prenant le risque d'en faire la clé de tout son être.

N'aimant pas plus son père que sa mère, il n'avait jamais pu choisir entre deux origines si différentes, il les niait simplement, espérant se faire tout seul, selon l'expression consacrée, il n'avait jamais tenté, si une telle chose était possible, d'en faire la synthèse – jusqu'à maintenant, jusqu'à la maladie qui avait transformé son visage à un point tel qu'il s'était pour ainsi dire délivré des provenances supposées et du fantasme des racines qui avaient tant tourmenté Kérim, ses traits s'étaient libérés, paradoxalement, parvenant à l'équilibre et à l'harmonie par la grâce d'une souffrance extrême, sans qu'il reste sur sa figure quoi que ce soit de remarquable pour un inconnu qui l'aurait dévisagé, pour une personne raciste. Cela, Ké ne le voyait pas, et, sans doute, même si je lui en avais fait la remarque, il n'aurait pas voulu le comprendre, tout ce qu'il voyait dans son petit miroir portatif, c'était que ses parents avaient pris possession de son corps… Il avait maintenant un nez gigantesque, rouge et crochu, le nez de sa mère, et les yeux proéminents de son père, gonflés par le manque de sommeil et la douleur… La maladie que lui avaient léguée ses parents se moquait objectivement de lui, dans la glace… Remonté qu'il était contre sa famille dont il ne permettait à aucun membre de venir le voir, comme s'il lui fallait quelqu'un à haïr, de chair et d'os… Quelqu'un à accuser, de la façon la plus violente, la plus ordurière et la plus délirante qui soit, puisqu'il ne pouvait s'en prendre, directement et ouvertement, aux sentiments contradictoires qui l'avaient agité toute sa vie, sa vie de *bougnoule* et de *niak*… Et régulièrement, devant moi, dans sa chambre d'hôpital insonorisée, il se défoulait, il traitait ses parents de tous les noms, de *salauds* et d'*inconscients*, d'*abrutis*, de *bougnoules* et de *niaks*, il vomissait la fatalité génétique qui l'avait conduit, selon lui, jusqu'à cette cellule stérile.

Puis, lors de ma sixième ou septième visite, peut-être plus à l'aise avec moi qu'au tout début, Ké avança qu'en réalité, sa maladie devait être d'origine sexuelle. Par la suite, contrairement à moi, il ne fut aucunement gêné par l'évocation, crue et détaillée, des rapports nombreux et, semblait-il, toujours fougueux qu'il avait eus ces dernières années, avec, mais je dois dire que j'avais abandonné assez vite le compte, pas moins d'une centaine de filles différentes. Il n'avait jamais été aussi impudique. J'imaginais que, la nuit, lorsque les rondes des infirmières le laissaient enfin tranquille, il se désolait de ne plus éprouver de désir et, ayant baissé son pantalon avec peine, il contemplait longuement son sexe flasque, petit et abîmé. Pendant la journée, en ma présence, il ne faisait que parler de ce qu'il ne pouvait plus faire et ressentir, encore et encore, c'était tout ce qui lui restait. Peut-être aussi parlait-il de ses exploits passés de façon mécanique, pour me faire la conversation, il évoquait à s'en faire mal ce temps où il était encore un homme, de son point de vue, plutôt que son quotidien désespérément vide désormais, et absurde. Quoi qu'il en soit, au fur et à mesure de mes visites, sur ce sujet et à vrai dire sur tous les sujets, sa parole se libéra (quand bien même, pour ce faire, elle devait suivre ce qui semblait un chemin labyrinthique, ou très escarpé). Kérim me le disait à l'envi, souffrir d'une leucémie le plaçait, lui, bien au-delà des limites habituelles de la chance, de la décence, de la justice, en dehors des règles sociales communément admises. Il était enfermé, il ne décidait plus de rien pour lui-même, déplorait-il, il allait sans doute mourir ; il payait assez cher, il pouvait donc dire tout ce qu'il voulait. Et, dans cette mesure, je crois qu'il avait vraiment besoin de moi, il ne pouvait se passer aisément de moi. J'étais le seul à l'écouter vraiment, répétait-il, il n'avait plus que mon oreille amie.

Par bien des aspects, cette situation où il se trouvait dos au mur lui rappelait ses années de jeunesse passées en marge de la loi, lorsque, s'étant mis à gagner sa vie illégalement à l'exclusion de tout autre moyen, il ne se confiait qu'à moi et à quelques personnes en qui il avait toute confiance, en même temps qu'il parvenait à renvoyer aux autres, ses parents compris, envers et contre tout, une image de normalité et de grande affabilité. Mais, tout à coup, l'évocation sans fard par Kérim de cette époque de banditisme, extorsion, vol, commerce de drogue et d'armes, chantage et violence en bande, époque qu'il ne regrettait pas, dont il était presque nostalgique, fit voler en éclats notre intimité encore fragile, vers la fin de ma visite du vendredi. Ce qu'il ne m'avait pas entièrement avoué à l'époque, il me le disait ; ce mal qu'il avait fait et dont jusque-là je n'avais pas soupçonné la moitié, il m'en fit le témoin tardif et, pensai-je avec consternation, le complice, relativisant, de manière insupportable, veillant à mettre en perspective des actes indéfendables – sa vie, disait-il légèrement, n'avait pas été très différente de celle d'un soldat, avec ses alliés et ses adversaires, ses secrets sensibles, et la violence qu'on admettait. Et il me parut soudain, alors même que les faits en question n'étaient pas loin d'être prescrits et qu'il me remerciait abondamment par ailleurs, une fois de plus, de mon assiduité auprès de lui, que Kérim m'avait utilisé, qu'il se vengeait ainsi de mon départ sept années plus tôt, à sa manière, que je n'étais au fond qu'un confident de hasard (peut-être avait-il fait envoyer des dizaines, des centaines de mails identiques à celui que j'avais reçu, peut-être n'avait-il même pas compté sérieusement sur ma venue), qu'il avait accueilli à bras ouverts par peur de la solitude, mais qui, comme par le passé au fond, resterait toujours étranger à ce qu'il était, à sa mauvaise nature et à l'enracinement de cette nature. Aussi, ce jour-là vers dix-sept heures, presque deux semaines après mon arrivée à C. et pas plus avancé, je quittai l'hôpital assez préoccupé et déprimé.

Toute la journée du samedi, enfermé dans ma chambre d'hôtel, je songeai à repartir. Je me sentais joué, et stupide, mais, d'un autre côté, étrangement satisfait : j'étais venu à lui sans arrière-pensées, me disais-je, je pensais avoir fait mon devoir et c'était bien Kérim, volontairement, qui avait rompu les liens que nous avions renoués en reparlant de notre passé. Tous les torts semblaient être de son côté, et j'entendais profiter de ce ressentiment clair contre lui, sans taches, que j'éprouvais depuis la veille, de cette énergie négative qui m'aiderait à retourner outre-mer puis me garderait en alerte là-bas, dans le désert, pendant encore des mois et des mois. Mais, au fur et à mesure que les heures passaient, ma colère contre Ké tombait, m'échappait comme l'eau. Un instant, je décidais de faire mes adieux à ma mère, ouvrais la porte, la refermais ; puis je renonçais à tout, à bouger seulement, finissais par m'ennuyer, et consultais les horaires d'avion sur internet, fermais la page par inadvertance, tapais du poing sur la table, pleurais un peu, me rallongeais, puis je recommençais. Vers seize heures, à bout de nerfs, je sortis et, sur un coup de tête, je pris le premier train pour Paris. Pendant le trajet au moins, coiffant à propos les forêts et les champs, la lune m'accompagna fidèlement, et mes rêves de voyage sans retour purent fleurir.

Sur place, ma seule idée fut de retrouver Lily, puis de la forcer à tomber follement amoureuse de moi – de l'entraîner dans le trou où j'étais tombé. Mais elle ne se trouvait plus à son ancienne adresse et, de retour dans le métro, changeant de ligne au hasard des correspondances je me sentis désemparé, je ne savais où commencer à la chercher, et pour quelle raison je me lançais tout à coup sur ses traces, et je me mis à traîner, sans aucune envie de traîner, de trottoir rouge en trottoir rouge, de bar bleu en bar bleu, dans lesquels je hurlais de temps à autre, de toutes mes forces : Lily! Je ne me souviens pas du détail de mes pérégrinations (il aurait fallu commencer mon récit par là, peut-être, m'en tenir là, et me contenter de la seule aventure qui vaille – *je suis seul, je me suis retiré à l'intérieur de moi et je n'attends plus rien*), seulement que je buvais avec méthode et entêtement, comme un militaire, si j'ose dire, appelant à la rescousse mes camarades vivants ou morts et échouant, puis reprenant un petit verre, et il me semblait qu'à chaque nouveau comptoir, les autres buveurs me perçaient à jour, et s'écartaient de moi comme si j'étais une sorte de pestiféré. Au-dehors, la ville donnait l'impression d'être déserte, au sens où, si l'on croisait quelqu'un décidé à braver le froid glacial, il paraissait impossible de l'aborder.

Pourtant, lorsque mes jambes refusèrent de me porter plus loin et que je fus contraint de me lover autour d'un réverbère pour ne pas sombrer, un homme se planta devant moi, au ralenti, c'est ce qu'il me parut, titubant au ralenti. C'est une surprise, mon adjudant, dit-il, ah ça. J'avais beau plisser les yeux, relever simplement la tête me demandait un effort inouï, et je ne reconnus pas l'homme, les traits de son visage se liquéfiaient, bougeaient et se superposaient devant moi et cette agitation me donnait le tournis. C'est une sacrée surprise, dit l'homme, c'est moi c'est le sergent, si si, vous me reconnaissez, mon adjudant, vous êtes toujours adjudant? L'homme ne cherchait pas à dissimuler son ébriété ou son état général déplorable, son visage qui était recouvert de bleus et de griffures et ses vêtements raides de saleté qu'il arborait fièrement, non pas honteux et réservé comme moi, mais agressif, et conquérant dans l'ivresse, c'était mon impression. Il parlait et parlait sans cesse. C'est le sergent je vous ai vu de loin, reprit-il, j'étais coincé quelque part, là-bas, cuvant à même le sol et caressant le trottoir ingrat, et repeignant pour moi seulement le tableau tout à fait navrant de mon existence, un peu désabusé il faut le reconnaître, quand je me suis dit : Pas possible, je vous assure que j'étais là, de mon côté, j'existais de mon côté, caché et déconsidéré dans mon bout de rue, il commençait tout juste à pleuvoir et le décor de carton-pâte de la ville s'imbibait d'eau et s'affaissait mais je vous ai tout de même reconnu et j'ai parié que vous aussi, vous alliez me reconnaître, dans le mille, même si ça fait quelques mois et presque un an qu'on ne s'était vus, tiens, encore que la mesure du temps soit on le sait différente pour chacun, j'avais tellement aimé bavarder avec vous, tellement, j'avais espéré que vos sentiments à ce sujet seraient identiques, même si, parfois, enfin on ne peut toujours parfaitement s'entendre ni se comprendre, maintenant que pour ma part j'ai plus de temps (car je vous jure que j'existe dans mon temps, lorsque vous n'êtes plus avec moi, comme n'importe qui d'autre), du temps et encore plus de temps pour repenser à nos petites rencontres, attendu que j'ai quitté le service actif il y a quatre mois déjà en septembre dernier, voilà bien le genre de choses que l'on fait en septembre et qui sait si nos petites discussions ne sont pas pour quelque chose dans ma décision, me dit le sergent, qui sait si vous ne m'avez pas ouvert les yeux comme le prophète ouvre les yeux du croyant qui s'ignorait, avec vos chemises repassés et votre air propret, votre air de revenir de la guerre comme on

revient des courses, inentamé et triste, je plaisante
évidemment mais je peux voir à votre mine que ce
n'est guère le moment de vous faire marcher,
oubliez je vous en prie ce que je viens de dire, met-
tons, je voulais simplement passer à autre chose en
quittant l'armée, en abandonnant mes camarades
comme des chiens, pire qu'un chien, je crois que
je me suis lassé à force du meurtre et de la trem-
blote qui ne passait plus, après, vous ne savez pas
vous ne risquez rien de ce point de vue, en plus de
l'alcool qui a fini par me gâcher le talent et le tempérament s'en ressent bien sûr, je ne suis plus dangereux, plus du tout, maintenant, tel que vous me
voyez, impuissant, j'ai tout mon temps désormais
pour ne rien faire et tant mieux, je l'emploie à errer
dans ce coin-ci qui en vaut d'autres, à chercher tous
ceux que je ne nommerais pas mes amis, par considération pour eux, disons des connaissances, en
réalité les gens que j'ai connus et qui m'ont tous
apporté quelque chose, chacun à sa façon, une
petite flamme, de sorte que je me sens une dette
envers eux, désormais j'ai davantage de temps et
plus qu'il ne m'en faut et il me faut bien rendre ce
que j'ai reçu, mais pour dire la vérité la compagnie
est un peu décevante par ici, place Clichy et alentour et vers Pigalle aussi, la qualité manque mais la
quantité ça non, on ne peut pas dire, imaginez donc
ma joie de vous être tombé dessus, comment c'est,
la vie, pour tout vous dire je me sentais assez désespéré juste avant de vous apercevoir, pas suicidaire,
non, simplement désespéré, puis je vous ai vu marcher sur un fil dans ma direction, et tout à coup je
ne me suis plus senti désespéré du tout, et toujours
pas suicidaire, immédiatement me sont revenues

en mémoire toutes nos petites conversations, au minimum sympathiques, et parfois passionnantes, ce genre d'échanges enrichissants devraient occuper le moindre de nos instants jusqu'au trépas, moi parlant d'événements et de conséquences que vous connaissiez mal et vous évoquant votre quotidien de transmetteur dont je soupçonnais à peine l'existence, moi dans la tempête toujours renouvelée de l'aventure de nos pères et vous dans l'aventure d'aujourd'hui, plus sûre, derrière un écran, derrière votre console PABX (c'est bien ça?), à la rigueur embarqué dans une station mobile Carthage (c'est bien ça?), mais ne restons pas ici, me dit tout à coup le sergent, dégage, Amir, fit-il en direction d'une ombre qui s'approchait de nous ou s'éloignait déjà, je n'aurais su dire, ce n'est pas le moment je parle avec un compagnon d'armes, dégage, dit le sergent, quant à nous, allons quelque part où on pourra parler plus tranquillement, cette bise découragerait la plus noble des intentions et bloquerait le premier mot intéressant que nous voudrions prononcer, allons vers cet endroit plus sombre où vous parlerez à votre aise, bougeons, bougeons, me dit-il en me prenant par le bras, au moins allons dans ce coin-là, je vous tiens, je vous assure, je vous guide, pied droit pied gauche haut les genoux, c'est le moment de se souvenir de l'instruction mon petit, ce n'est nullement par manque de respect que je te prends ainsi, par la taille mon petit tu me comprends, tu comprends toi les lois de la nécessité d'autres, plus sensibles et moins sûrs d'eux, on ne peut pas les toucher sans qu'ils hurlent, mais pas toi, entre mes mains tu ne te cabres pas mais tu fonds, entre mes mains, quel bonheur de guider et de conforter et d'apaiser pour ces mains-là tu ne te rends pas compte, de caresser alors qu'elles peuvent étrangler quelqu'un sans que j'aie à y penser, ouf, si je peux me permettre, après tout il est possible que la bouche insulte tandis que la main caresse, tu me parais bien lourd pour ta taille, je veux dire pour un soldat en opération, mais il est vrai qu'une fois de retour on est vite repris par la civilisation et ses vices il n'y a que ça, partout, on est comme vidé de ce que nous gagnons pourtant bien péniblement à la guerre, ce que nous arrachons à la guerre la vraie, on est vidé de la substance guerrière qui doit nous servir, ici comme là-bas, fais donc attention à cette mauvaise marche elle a sa petite réputation par ici, et l'homme dont j'ignorais toujours le nom, que je ne reconnaissais toujours pas me fit pénétrer une ruelle et asseoir sur un banc cassé ou sur un tas de poubelles, puis recula pour me regarder comme on admirerait une œuvre d'art, ah ah, à cette seconde ta beauté est évidente pour celui qui sait voir, et je sais voir, tant que la lumière reste raisonnable, je ne dirais pas que les lumières trop fortes et trop vulgaires favorisent les pensées suicidaires seulement, elles me vrillent les yeux et plus loin le cerveau et plus loin me trouent l'arrière du crâne, l'obscurité est pour moi un confort, pour mes yeux qui en ont trop vu sous une lumière trop crue, s'il n'y avait ce vent et cette maudite pluie de travers, en l'absence d'une banquette accueillante et d'un serveur et de verres que dirais-tu de boire un coup quand même, il se trouve que j'ai sur moi, par bonheur, un alcool choisi d'une réserve on ne peut plus personnelle, une bouteille offerte par ma fille pour un de mes anniversaires ou une de mes fêtes, cadeau plein d'innocence, me dit l'homme, elle trouvait l'étiquette jolie sans doute, bien sûr elle ne pouvait savoir ce qu'elle encourageait la petite sotte, toujours est-il que cette liqueur je la crois tout à fait spéciale et que son goût devrait nous rappeler l'enfance, cette innocence que nous chérissons et cette douceur que nous chérissons et que nous avons juré de défendre, à un moment ou à un autre, comme soldats, je vous encourage à prendre une lampée à même le goulot sans chichi, même si vous m'avez tout l'air de ne plus pouvoir avaler quoi que ce soit à part votre propre langue, j'espère au moins que vous ne vous mordez pas la langue à l'instant (voilà que le vouvoiement revient), vous ne dites rien, c'est inquiétant, j'ai la sensation de me livrer à vous en quelque sorte pieds et poings liés par la confession et de ne rien recevoir en retour, tenez, un peu de ceci peut-être vous déliera la langue, à moins que, je n'ose m'avancer, tout le monde n'a pas mes penchants (Amir? Amir? Tu es là? Viens, apporte-moi le sac!), et une proposition s'adressant au mauvais interlocuteur au mauvais moment, comme une arme inappropriée, est une faute à laquelle vous pourriez répondre par cet affront qu'est le refus sans argument ni raison, je crois être résistant et endurant et solide mais cela, je ne le supporterai pas, aussi je reste prudent, furtif comme vous avez appris à l'être sans en avoir l'utilité et comme j'ai appris à l'être, plutôt par obligation, je me disais, peut-être que, plein d'alcool déjà et désireux d'échapper, pour quelques instants, aux conséquences et aux rigueurs de l'ivresse, peut-être accepterez-vous mon échantillon de qualité supérieure (Amir!), en prélude, non d'un partage qui ne vous apporterait rien mais d'un achat, remarquez que je ne feins pas la générosité et le désintéressement, le commerce uniquement scelle les liens durables comme je l'ai découvert sur le tard, à mes dépens croyez-le bien, il installe client et vendeur dans des positions confortables et éprouvées dont les protagonistes connaissent tout par avance, aucune surprise n'est possible, et puis les relations authentiques commencent par un échange ainsi que le rapportent les plus grands penseurs et les observateurs avisés des sociétés humaines en certains ouvrages, si ce n'est votre sang que vous me cédez ce pourrait être votre bon argent pourvu que vous soyez satisfait également de l'achat, du vendeur et de la chose achetée, je ne me cache pas de vous, je suis âpre au gain et plein d'ambitions, à mon humble avis (l'humilité sied à celui qui vend), le partage n'est pas du tout ce dont vous avez besoin ici et maintenant, mais si ma proposition vous dégoûte ne répondez pas, si ma franchise vous horrifie continuez de vous taire, nous en resterons là, peu différents en somme nous nous séparerons pour exister chacun de notre côté, dit le sergent, mais je suis un homme de paris et je fais celui-ci qu'on ne regrette jamais une expérience nouvelle et que la déception n'est pas un préjudice bien grand, et si les choses devaient mal tourner, si jamais votre corps refuse ce que votre tête veut et ce que veut votre ventre et ce que votre instinct réclame et veut, vous pourrez vous soulager, vomir et même déféquer en toute confiance, devant moi, puisque la vente aussi bien que l'achat sont des actes risqués qu'il faut assumer je ne vous abandonnerai pas, soyez-en certain, je resterai auprès de vous et veillerai sur vous, non pas gratuitement mais par nostalgie de la soldatesque d'une part et puis dans l'espoir de vous vendre autre chose, plus tard, peut-être l'antidote du produit précédent, prenez, ça ne vous engage pas, pour contrer un instant les rigueurs de l'hiver (bordel quel froid), admirez par exemple cette fumée qu'on dirait d'or, et fumez un peu cette herbe qui nous vient d'Acapulco où la guerre fait rage, ou celle-ci par exemple, plus chocolatée, qui nous vient d'Afghanistan, où la guerre fait rage, il n'est pas impossible de déceler dans l'une ou l'autre des relents d'incendie et un goût de corps carbonisé, mais je crois que ce sont là mes propres visions qui s'enflamment je n'insiste pas, vous avez comme moi payé votre tribut à l'horreur (Amir! Amir!), vous avez donc le choix, les règles commerciales sont claires sur ce point, choix d'humeur et de tempérament qui ne vous attirera aucun commentaire de ma part, j'ai été à votre place sachez-le, achetez ou n'achetez pas, consommez ou ne consommez pas, libre à vous, voilà le seul choix que je ne peux faire à votre place, mais je ne crois pas que vous devriez décliner mon offre qui ne vous coûte rien encore et jusque très tard dans la transaction, ce qui, à notre époque, vous en conviendrez, est incroyable et dément, nous pouvons parler un peu de moi si vous avez besoin pour vous décider de vous faire une idée complète, je suis un homme d'honneur que vous devinez patriote, sincère, en outre séduit par votre détresse apparente et votre modestie apparente, qui vous empêche peut-être de demander une fille que je puis faire venir immédiatement, jusqu'ici où nous sommes sans lumière et sans loi, libres, une fille ou un garçon à votre disposition, et, qui sait, à votre goût, bien que, sur ce sujet, il est tout de même difficile de suivre chaque caprice, ce ne sera pas bien

sûr quelqu'un de la qualité de Lily mais il ou elle
sera devant vous à genoux si vous le désirez, dans
l'heure, vous n'avez qu'un mot à dire, vous n'avez
même pas à parler, j'ai l'habitude des taiseux qui,
par timidité et modestie, jamais n'interrogent ni ne
réclament, je vois bien que vous ne demandez ni
n'exigez rien, par peur de froisser, ni le possible ni
l'impossible, ce qui est, si je peux me permettre, dans
cette époque-ci, une erreur, quand tous sont loups
et carnivores il vaut mieux hurler à l'unisson, vraiment j'ai peur que vous vous soyez mordu la langue
et dans ce cas, je crois que vous auriez l'usage de ma
médecine, préventive tout à fait, moitié science moitié mystique, qui apaiserait vos craintes et vous ferait
rire et chanter, affirma-t-il, et après que l'homme se
fut approché et collé contre moi, frotté contre moi
en plaçant sa cuisse entre mes jambes, il plaça sur
mes lèvres un cylindre qu'il avait formé à l'aide de
ses deux mains jointes et dont les extrémités étaient
fermées par nos deux bouches, et je n'eus d'autre
choix, dans mon état d'extrême faiblesse, alors que
j'avais eu l'idée de lui demander la nouvelle adresse
de Lily les seuls sons qui sortirent de ma gorge furent
des gargouillis, je fus contraint d'avaler la fumée qu'il
fit passer par ce canal, doucement, songeant bizar-
rement que ce que je faisais, je le faisais pour Kérim,
si je perdais pied je me sentirais sans doute plus
proche de lui, puis l'homme recula, l'air satisfait, je
vous épargnerai le slogan éculé des commerçants,
l'essayer c'est l'adopter, banal et mensonger, dit-il, car
un dernier revirement est toujours possible et, en
définitive, l'achat nécessite un fort caractère qui n'est
pas si courant, un certain esprit de décision qui
n'est pas sans rappeler celui des véritables soldats,

honorables et patriotes, et à cet instant, saoulé et proche d'une rupture que je n'avais pas connue depuis longtemps, je fouillai mes poches et j'en sortis tout mon argent restant pour acheter au sergent la plus grande quantité d'herbe possible, pour Kérim, me dis-je, afin de justifier un acte qui n'avait aucun sens, aucun sens pour moi, et qui froissa visiblement l'homme, ou le fit redevenir lui-même, puisqu'il prit sans un mot mes quelques billets froissés et fourra avec brusquerie un paquet assez volumineux à l'intérieur de mon manteau, puis disparut.

Une fois rentré à C., je ne sais par quel moyen, en assez mauvaise condition mais détendu, je dormis quelques heures, mangeai de bon appétit puis, en début d'après-midi, sans réfléchir, je me rendis à l'hôpital. À mon arrivée, il régnait dans le service d'hématologie une effervescence inhabituelle, qui ressemblait beaucoup à celle qui précède une attaque, dans un camp retranché. Une infirmière qui, jusqu'à aujourd'hui, m'avait trouvé trop présent et trop obligeant avec Kérim, pour tout dire trop accommodant avec un malade que, comme tous les autres malades, il ne fallait en aucun cas ménager, mais, au contraire, obliger soudainement à faire face aux réalités de son traitement et de son affection, cette infirmière se jeta sur moi dès l'accueil, vous voilà enfin, me dit-elle d'un ton plaintif et exaspérant. Après m'avoir pris le bras, elle me fit traverser le couloir au pas de charge (j'étais gêné, parce que trottiner ne me paraissait absolument pas convenable dans ce couloir), puis me poussa dans le dos pour me faire entrer dans le vestibule de la chambre de Kérim. Fatigué, je ne posais pas la moindre question. Si vous pouviez lui dire quelque chose, me dit l'infirmière qui était restée dans le couloir, moi ça ne sert à rien, et elle pointa du doigt pour moi, à travers la vitre, une scène curieuse : dans la chambre de Ké se trouvaient huit ou dix hommes, improprement habillés et préparés (l'un n'avait passé qu'une blouse stérile, l'autre seulement un masque, et on pouvait voir qu'au moins trois d'entre eux avaient les mains très sales), se tenant tous par les épaules, formaient un cercle autour du lit de Kérim qui demeurait invisible, et semblaient psalmodier, réciter ou chanter à voix basse, sans qu'on puisse comprendre ce qu'ils disaient (à cet instant, dans mon esprit, passèrent rapidement les mots suivants : *Nous sommes les enragés / Tapant du pied / Cheminant sans idée de notre destination / Et tournant la tête parfois vers les lueurs à l'ouest / Nous sommes les orphelins / (C'est notre souhait le plus cher) / Ayant pris goût à notre cauchemar / Nous sommes et serons / Les femmes de peu / Les hommes de peu / Et les enfants / Pouvant peu désirant peu / Bien sûr la violence / Bien sûr tout ce qui sera nécessaire / Pour démolir le ciel / (C'est notre but) / Nous sommes / L'amour des ruines / Nous sommes les enragés disons-nous / Où que l'on regarde / Pas plus ceci que cela / Nous sommes / Les mal-aimés, toujours / Venus après, par ordre d'importance / Et nous rions / Nous sommes les survivants, ceux qui restent / Le temps joue pour nous / Celles qui enfantent en dernier lieu / Et nous rions / La ruine / nous a ramenés au plaisir / Nous sommes les enragés / Préférant le rien au tout / Bien mieux vaut la destruction / Un nouvel âge / Bien mieux vaut tout laisser tomber / Mieux vaut vous tenir prêts / Avec une idée claire de ce qui suivra / Le vide / Ô Toi, Ô Évidence*). Au regard consterné et furieux de l'infirmière s'étaient ajoutés ceux, moins angoissés que curieux, de presque tout le personnel du service, et même l'interne de garde était là derrière moi, au bord des larmes, prêt à démissionner, me pressant d'entrer et de faire tout cesser, vous, il vous écoutera peut-être, me glissa-t-il au moment où j'ouvrais la porte de la chambre. Je ne savais que penser de ce *vous*, qui me gonfla de fierté pendant quelques secondes, mais qui me gratifiait d'un pouvoir sur Kérim que, à mon grand regret, je n'avais jamais possédé, ou espérait une connivence entre nous parce que nous avions un air de famille, un sale air ; en tous les cas, infirmières et médecins semblaient me trouver maintenant, après réflexion et en comparaison, malgré mes défauts qu'ils ne manquaient jamais de souligner, plus fréquentable que ces hommes qui avaient envahi la chambre, et susceptible d'exercer sur eux une influence civilisatrice, cependant je n'eus pas besoin de confirmer ou d'infirmer ces idées reçues, puisque, dès mon entrée, avant même que j'aie pu prononcer le premier mot d'explication ou de menace (heureusement!), les hommes refluèrent d'eux-mêmes de la pièce, en silence, et sortirent, l'un après l'autre, non sans m'avoir bousculé ou simplement jeté des coups d'œil assassins, à l'exception du dernier d'entre eux, le plus jeune et le plus grand, et le seul à s'être impeccablement préparé pour la visite, qui m'ignora complètement. Ce ne pouvait être que le bras droit dont Kérim m'avait plusieurs fois vanté les compétences et la loyauté – j'avais été intrigué parce que c'était en ces termes que j'aurais voulu que Ké parle de moi, en mon absence. Il répondait apparemment au seul prénom d'Oscar. C'était lui qui avait pris l'initiative de m'envoyer, sans l'avoir consulté au préalable, me dit honnêtement Kérim, le message qui me réclamait à son chevet.

La venue d'Oscar et de ses hommes avait déjà beaucoup exigé de Kérim, et j'étais moi-même épuisé par la nuit précédente, agacé en outre par l'infirmière inflexible qui, au lieu de me remercier d'un geste d'avoir vidé la chambre et de nous laisser, demeura derrière la vitre, bien visible dans le vestibule, comme si elle attendait que je m'en aille moi aussi, tout le temps que dura ma visite. Ké parla peu, et moi guère plus (comme il était bon d'être là, me dis-je, dans cette chambre calme, en mémoire du désastre de la veille, qu'il était bon d'être simplement là!), se contentant de me regarder d'un air las ou fermant les yeux le plus souvent, immobile et en peine, la mine fermée, semblant concentré sur un appel intérieur d'une tout autre force que le plaisir de me voir et de bavarder, peut-être poursuivant ses prières qu'il ne croyait pas pouvoir m'expliquer et me faire apprécier à leur juste valeur, ou bien luttant, combattant la prolifération de la douleur. Tout de même, l'attitude de Ké m'étonnait. Il semblait me reprocher quelque chose.

Je décidai de rester à C. pour quelque temps ; je décidai de ne pas m'en aller encore. Mais, le lundi et le mardi, le même remue-ménage, suivi ou précédé de ma visite et d'un long et perturbant silence entre Kérim et moi, se répéta à l'identique. J'avais l'impression que les hommes menés par Oscar se tenaient en permanence soit dans les couloirs de l'hôpital soit à la cafétéria, profitant de chacune de mes absences pour se rendre en masse dans la chambre de Ké, et de cette manière m'accuser, il me semblait, de suivre à la lettre des règles que l'amour que je prétendais porter à Ké aurait dû me faire enfreindre depuis belle lurette, ils m'accusaient de ne pas rester au chevet de Kérim plus longtemps et même de ne pas les empêcher de venir – je crois qu'ils m'accusaient d'égoïsme. Quoi qu'il en soit, ce manège provoquait un grand désespoir chez les médecins, qui me répétaient à tour de rôle, tout comme les infirmières d'ailleurs et aussi les femmes de ménage, dès que j'apparaissais, ce que je savais déjà parfaitement, à savoir qu'il était interdit aux visiteurs de pénétrer la chambre stérile à plus de deux personnes, et qu'il y avait, bien entendu, comme dans tous les services de ce type et de cette importance, des précautions élémentaires et des horaires précis auxquels tout le monde, sans exception, devait se conformer.

Tous ces jours-là, je me sentis très seul, et un peu idiot – le sens de ce que faisaient les gens à C., du geste le plus simple aux conduites les plus élaborées, semblait m'échapper. Je ne saisissais pas davantage le comportement de ces hommes qui mettaient si légèrement en danger le protocole de traitement de Ké, pas plus que je ne comprenais pourquoi la famille de Kérim, ses parents aussi bien que son frère, ne se décidait pas à ignorer la rancœur de Kérim à son égard et à éclaircir les choses. En attendant, les tensions entre le personnel soignant et l'entourage de Ké commençaient à affecter le service entier, et, partant, les autres malades, dont certains, notamment un adolescent et une femme d'une soixantaine d'années que j'apercevais à chacun de mes passages dans le couloir, en étaient à un stade plus avancé et plus dramatique de leur maladie (mais d'eux, il est certain que Kérim n'en avait rien à faire, et même qu'ils le dégoûtaient, comme s'il n'avait pas été malade ou, plutôt, comme s'il avait été le seul digne d'être soigné, le seul à être aussi malade et qu'il rejetait par avance toute communauté de destin avec ces gens, ne comptant que sur ses propres forces pour guérir). Chaque matin, à partir de neuf heures, médecins et infirmières guettaient mon arrivée, et craignaient celle des voyous de M. San, comme on les appelait, bande qui, sous la conduite tranquille et comme désinvolte d'Oscar, ne s'éparpillait jamais et demeurait correcte, et même polie, par la voix agréable d'Oscar, mais avec, parfois, des efforts visibles pour se contenir, et réprimer une violence inconnue et impensable ici, non institutionnelle, extérieure, dont on supposait qu'elle était familière à ces hommes et qu'elle ne leur coûtait rien – on avait peur ; pourtant on n'osait rien dire, ni appeler la police, puisque, après tout, dans cette affaire, M. San mettait de son plein gré sa santé en danger en acceptant la présence de ces hommes, et que, ceci se racontait encore plus discrètement, sans un donneur qu'on ne trouvait pas et une greffe de dernière minute dont la réussite n'était pas assurée, M. San n'en avait plus pour très longtemps de toute façon.

Le mercredi matin, tandis que je buvais un soda à la cafétéria de la clinique, accablé par je ne sais quel désespoir qui semblait avoir établi ses quartiers ici, et tourbillonner non loin du centre de la grande salle, comme une nuée d'insectes, dans l'indifférence des fidèles du lieu, habitués qui ne prenaient plus la peine de s'habiller et circulaient en chaussons et robe de chambre, le frère aîné de Kérim vint s'asseoir à ma table. J'aurais tenté de l'éviter, si je l'avais vu venir. On ne peut pas vraiment dire que Gazi paraissait

changé ; mais tout, chez lui, s'était comme aggravé :
il était plus nerveux qu'avant, encore plus frêle et
toujours aussi peu impressionnant physiquement,
alors qu'il avait essayé pendant des années de se ren-
forcer par la musculation et une pratique maniaque
du sport, en vain. Comme si Kérim avait été l'aîné
et ne lui avait laissé que des restes après son passage
dans le ventre de leur mère, Gazi avait avec son corps
entier le même rapport qu'il aurait eu avec un han-
dicap lourd, et il traînait plus qu'il ne vivait, ma-
lingre, allergique, épuisé au premier effort. Et lorsque,
malgré tout, il imitait son jeune frère, suivait son
frère partout et tentait de connaître les mêmes réus-
sites, qui lui semblaient innombrables, il ne parvenait qu'à assimiler les pires défauts de Kérim, surtout
la morgue et les accès de colère incontrôlables,
comme si, en tout et pour tout, il ne pourrait jamais
être qu'un négatif. Et Gazi était sans cesse moqué,
pantin désarticulé qui ne pouvait attirer la compassion parce qu'on ne comprenait pas son acharne-
ment à vouloir *être* Kérim, ni, en général, les
motivations de ce petit être disgracieux dont on ne
supportait la présence qu'afin de pouvoir s'amuser
à ses dépens. Lui pensait mériter mieux, c'était
évident, comme tout le monde en fait au quartier,
en dépit de la fatalité naturelle, de cette injustice
naturelle qui ne lui avait rien laissé, et il priait tous
les dieux et tous les prophètes et tous les saints de
lui prêter au moins une fois, même pour un temps
très court, la vitalité indispensable à ses projets que
j'avais toujours imaginés vengeurs, terribles, drama-
tiques s'ils venaient à se réaliser un jour. Désormais,
ces projets terribles se lisaient sur ses traits... Longtemps il avait su garder une expression neutre, son

visage ne le trahissait jamais, tandis qu'à présent... Toute la haine de sa propre faiblesse, toute la force de son esprit, qui n'était pas intelligence mais obsession, obsession qu'il cultivait, sans laquelle il serait retourné au néant, toute la haine de son frère et de sa propre ascendance, du monde entier qui lui refusait son aide, s'affichaient librement sur sa face de lune... Oui, et encore ce regard rencontré tant de fois depuis mon retour, les yeux du quartier, pour ainsi dire, pleins des cercles et des zéros qu'avait tracés une jeunesse à tourner en rond... Il ne se contrôlait plus, et il ressemblait à un malade mental, à un fou échappé de l'institut psychiatrique situé juste en face de la clinique – il s'était installé à côté de moi puis s'était penché vers moi comme pour mieux me sentir, ou bien me mordre.

Malgré tout, Gazi ne me faisait pas peur. À vrai dire, il n'avait jamais effrayé personne en dépit de tout le mal qu'il se donnait, de son aspect général et de son hostilité visible dont je ne comprenais pas la raison, à moi il avait toujours inspiré plus de pitié que de dégoût, mais j'éprouvais quand même de la gêne. Il me semblait que, depuis mon retour auprès de Kérim, ses proches, avec leur violence propre, leurs entêtements et leur courte vue, avaient refait leur apparition, comme si l'un ne pouvait aller sans les autres ; il me semblait que je ne pourrais en aucun cas échapper à leur emprise et à leurs histoires qui toutes finissaient mal, et que nous ne pourrions jamais avec Ké, restés seuls, en parlant et en apurant nos conflits et en évoquant franchement nos souvenirs, refaire nos vies puis refaire le monde comme nous l'avions désiré si fort, plus jeunes. Après m'avoir longuement observé, et avoir passé en revue l'ensemble des issues de la cafétéria, Gazi se mit à parler, en bavant abondamment.

Je ne compris pas grand-chose. Il n'est pas certain qu'il s'adressait à moi en particulier, je veux dire plus qu'à un des êtres invisibles qu'il s'était inventés et qu'il prenait régulièrement à partie. Qui vient ici, et le plus souvent, me dit-il, on est au courant pourquoi. Je ne pense pas que, même si la maîtrise obligatoire du jargon militaire en plus d'une ou deux langues étrangères m'avait fait un peu oublier les subtilités du parler local, et les affres de l'accent, je sois devenu un étranger au point de ne plus rien saisir de ce qu'on me disait, même si je savais, par ailleurs, que Kérim faisait un effort pour articuler et ne pas abuser de l'argot lorsque nous discutions, et que cet effort qui ne coûtait rien au cadet pourrait facilement venir à bout des forces de Gazi. Mais, dans son cas, c'était simplement le sens qui m'échappait, l'ordre et l'emploi des mots qui déraillaient. Dans le fatras des sons gutturaux et des formules, proverbes et autres néologismes, tous de son cru, et en lui faisant répéter plusieurs fois, je finis par comprendre qu'il voulait connaître les raisons de ma présence, ici il n'y a pas de raison pour toi, me dit-il. Avant que j'aie pu répondre, il me demanda si Kérim m'avait reçu, je crois me souvenir qu'il utilisa ce mot, reçu, comme s'il s'agissait d'une audience, puis, à la suite et sans pause, si nous avions parlé, puis s'il m'avait parlé d'un certain testament, oh oui je sais, me dit-il, et d'une certaine succession, et pour finir, mais je me trompais peut-être complètement, il me posa des questions sans logique sur Oscar et ses hommes, si j'étais parmi eux ou avec eux, et susceptible de lui faire du mal avec eux, en réunion on peut tout, dit Gazi, ils lui voulaient du mal à cause de ce qu'il pouvait faire mais ne voulait pas faire, de ce qu'il était capable de faire mais ne ferait pas, me confia-t-il en cessant tout à coup de hurler et en parlant un peu plus lentement, et il sourit, de la pire façon que peut avoir un homme de sourire. Puis il se leva soudain et m'avertit, ça ne vaut qu'une fois et une fois seulement, ajouta-t-il, il me recommanda de ne pas me mêler de ses affaires qui étaient incompressibles, ou immarcescibles, mais je ne pense pas que Gazi connaissait le terme, ce que je lui jurai d'autant plus facilement que j'ignorais toujours de quoi il voulait parler et que j'avais mal au crâne, peut-être j'étais tombé malade à mon tour, quoi de moins étonnant dans un hôpital, puis Gazi me dit que, d'après son instinct qui ne le trompait jamais et qu'il préférait à la médecine obscure, Kérim était condamné, par celui/celle qui décide, ajouta-t-il en me faisant un clin d'œil, et que tout son business (quoi, business ?), à présent entièrement légitime et légal, lui reviendrait nécessairement malgré les pièges qu'on lui tendait, et surtout pas à moi ou à Oscar ou à n'importe qui d'autre, parce que je suis le frère, s'emporta-t-il, il en ferait de toute façon le meilleur usage, à cause du sang (mais de cela je ne suis pas du tout sûr), et je ferais mieux de repartir d'où je venais (il paraissait savoir précisément d'où je venais). Puis, en s'éloignant tout à coup de moi, il ajouta en criant qu'il me fallait craindre Oscar moi aussi, comme les bêtes et les femmes, dit-il, si le brave Kérim s'avisait de me mettre en bonne place dans son testament qu'il révisait tous les jours, pratiquement (cela me semble carrément douteux), que je ne connaissais pas bien Kérim ni Oscar, et si jamais tu aimes Gazi plutôt, me dit-il à l'oreille après s'être retourné et avoir fondu sur moi avec une vitesse étonnante, j'enverrai une récompense dans ton trou à fanatiques qui fera reverdir le désert, si du moins, je voulais bien, subtilement mais en employant toutes mes ressources, favoriser ses plans, qui étaient clairs et que j'avais parfaitement compris, selon Gazi, tu sers ou pas, tu vis ou pas – ainsi finit notre conversation.

J'étais de retour dans la cave étroite, dans le tunnel de mes jeunes années, et tout était noir.

3

À ce point, mon existence était devenue bien com-
pliquée, et l'avenir on ne peut plus flou, par ma
faute. J'avais à nouveau envie de fuir C., et Kérim…
De ne jamais plus revenir… Mais ma propre confu-
sion fut portée à son comble, en même temps qu'il
me devint impossible de quitter la ville, lorsque,
cette semaine-là, Lily réapparut. Elle avait laissé un
message à mon hôtel, un matin très tôt, puis m'avait
patiemment attendu, me demandant ou plutôt exi-
geant que je la rejoigne au plus vite dans un café
proche. Comment m'avait-elle retrouvé ? Cette question je me la posais fugacement en traversant la rue,
courant presque, mais elle ne me semblait pas avoir
beaucoup d'importance, et puis plus du tout dès
que je la vis, buvant un thé et regardant de manière
distraite au-dehors, j'oubliai mon inquiétude, j'oubliai tout. Elle était brune à présent ; elle s'était
débarrassée de ses grosses lunettes. Elle était bien
plus belle que dans mon souvenir : les cheveux longs
et abondamment frisés, et le menton en pointe. Et,
naturellement, elle n'était pas venue pour rien, elle
avait besoin de moi : un maquereau avait fini par
lui mettre le grappin dessus, me dit-elle tout de suite,
sans affolement, il voulait lui imposer un lieu de

passe et des clients, alors qu'elle s'était tout juste décidée à changer de vie. Je ne m'interrogeai même pas, à ce moment-là, sur les raisons qui la faisaient s'adresser à moi ; et je n'écoutai qu'à moitié ses nombreuses promesses de demeurer, éventuellement, si tout se passait bien, à mes côtés, sujet sur lequel elle se montra très prudente, comme il me fut indifférent de savoir si je pouvais la croire – elle mentait un peu, par principe, certainement. De même, je ne prêtai pas attention à ses tentatives plus ou moins habiles pour dissiper les soupçons que j'aurais pu avoir, puis pour suggérer que ce dont elle manquait le plus pour l'instant, en plus d'un soutien moral, capital, compléta-t-elle, c'était d'argent. Moi, je ne voyais que l'opportunité qui m'était offerte, je n'avais plus à l'esprit que deux pensées, qui finirent par se mêler : aider cette fille, c'était pouvoir la contempler encore un peu, une minute, une heure supplémentaire, et je me rendis compte que je ne voulais plus cesser de la voir ; et puis, aider cette quasi-inconnue, c'était le prétexte et le moyen pour rester à C. un peu plus longtemps, auprès de Kérim.

J'arrêtai Lily, de son véritable prénom Cat, c'est ce qu'elle prétendait maintenant, et le déluge de confidences, vraies ou fausses, qu'elle me faisait pour gagner une confiance que je refusais de lui accorder d'emblée, je fis taire Cat comme elle commençait à insinuer qu'elle pourrait, peut-être, mais comment en être sûre, faute d'argent pour payer la visite chez le médecin, être enceinte de moi (et je songeai avec regret que j'aimerais avoir un fils, ce serait un fils sans aucun doute, à travers lequel je corrigerais un certain nombre d'erreurs que j'estimais avoir commises). Tu vas m'aider ?, demanda Cat. Le mac, en plus tu le connais, me dit-elle, c'est l'homme qui nous a présentés, si, le vétéran, il est en France pour de bon et il me lâche plus. C'est-à-dire… Bon, c'est pas vraiment un mac, il trafique, il vole un peu je crois et il vend… En fait il est amoureux de moi, voilà, il veut m'épouser… Il est pas bien, il est si vieux… Toi, tu me comprends… Je ne sais pas ce qu'il veut vraiment, il parle tout le temps et je ne comprends rien, les trois quarts du temps, les deux tiers, mais il n'est pas ce qu'il prétend être… Enfin il est militaire comme toi, de ça je suis sûre parce qu'il m'a montré un soir son uniforme, un soir qu'il voulait… Mais c'est pas un officier comme toi, il n'est pas important, juste un caporal, un sergent… Il ne se doute pas que je suis là, seulement c'est lui qui m'a parlé de toi, hier, parce qu'il t'avait croisé une nuit, vous aviez discuté et tu lui as dit d'où tu venais… Il se souvenait même pas qu'on se connaissait, et en plus il t'aime bien, je crois, il te trouve sympa, très sympa, très comme il faut, il m'a dit : lui, c'est moi quand j'avais le même âge, quelque chose comme ça… Ce type c'est personne, il a pas été violent, il est pas dangereux, pour toi, c'est juste que je sais pas comment m'en débarrasser, ajouta-t-elle en haussant les épaules. Et puis je voulais te revoir, me dit-elle en s'avançant sur sa chaise et en commençant à minauder, tout ce temps j'ai tellement pensé à toi… Elle ne paraissait pas le moins du monde terrorisée, dans la gêne, et on voyait bien qu'elle n'aimait pas dépendre des autres, particulièrement d'un homme, même pour la protéger d'un autre homme peut-être plus brutal, et plus méchant. Mais moi, j'avais tellement envie de l'aider, de faire semblant au moins, de lui être utile… Je vais te dire,

Cat, commençai-je, et je retirai doucement ma main droite qu'elle pressait depuis quelques instants contre sa joue extrêmement blanche, poudrée on aurait dit, ou laiteuse comme si elle était la réincarnation de l'une de ces madones d'adoration qui trônent à chaque carrefour des villes italiennes, je l'essuyai machinalement sur une jambe de mon pantalon avant de la remettre sur la table et de lui caresser le bras pour la rassurer, bien qu'elle n'eût nul besoin d'être rassurée, je vais te dire, pour l'instant tu vas t'installer avec moi, dans ma chambre, pas loin, et puis on verra. Je me sentais amoureux, d'elle, ou, plus vraisemblablement, de la situation – je me voyais déjà lui proposer de prendre mon lit et me contenter pour dormir d'une couverture étendue sur le sol, tant pis si je devais souffrir de mon dos chaque nuit, pour la seule raison que je refuserais tout arrangement contraire à l'honneur… De plus, je n'avais pas de quoi la payer… J'étais bien content de moi… J'essayais de parler à Cat comme un homme, c'est-à-dire, dans mon idée d'alors, comme une sorte de père, en tout cas comme un homme plus âgé ou plus savant, qui saurait quoi faire… Il me traversa l'esprit, à ce moment-là, que j'utilisais Cat, les malheurs de Cat pour mes propres fins, j'avais l'impression de commencer avec elle une sorte de jeu qui ne pourrait jamais tourner qu'à mon avantage – au regard de la guerre, qui, de près, vécue, était pourtant dérisoire et risible, tout me paraissait un jeu, assez petit et sans conséquence… Sans corps impliqué, sans conséquence, pour moi… En retournant à l'hôtel, je ne lâchai pas les épaules de Cat. Elle se laissa faire, mais sans langueur particulière, et si elle était satisfaite, elle n'en montra rien. Je l'installai dans ma chambre, puis lui annonçai devoir immédiatement repartir, afin de régler toute une série de problèmes qui ne s'étaient pas posés jusquelà, lui dis-je, ou que je n'avais pas perçus comme tels, tant que je n'avais pas osé me mêler franchement de la vie des autres, ajoutai-je en la regardant avec tendresse. Juste avant de la quitter, je demandai à Cat quel genre d'études elle avait pu faire, qui l'avait amenée à vendre son corps puis à réclamer mon aide, par curiosité – je pariai sur la biologie. Elle fit la moue avant de répondre, comme si elle devait réfléchir sérieusement à la question, puis, elle parut avoir trouvé, et me sourit : j'étais en philosophie, me dit-elle, j'étudiais la philosophie.

Une fameuse énergie était revenue, dans mes jambes, dans ma poitrine, dans ma tête, je la reconnaissais, elle m'avait déjà porté lorsque j'avais quitté C. sept ans plus tôt : je me sentais incroyablement vivant (heureux, me dis-je, comme un adolescent qui sait avoir la vie devant lui). Moitié par peur paranoïaque d'être mis sur écoute et repéré, moitié pour rendre les passants juges de ce que je faisais pour quelqu'un d'autre que moi, de ma nouvelle et grande dévotion, j'avais emprunté le portable de Cat et je passai tous mes appels sur le trottoir devant l'hôtel, ce qui, à cause d'un déluge soudain et aussi des bruits de la circulation, ne fut nullement pratique et à la réflexion pas très malin. J'appelai d'abord quelques camarades qui auraient pu éventuellement m'aider, dans la mesure de leurs moyens, mais que je n'arrivai pas à joindre, puis la caserne de Metz, afin de solliciter auprès du commandement une permission supplémentaire pour raison exceptionnelle, sans plus de détails, ce qui me fut refusé par une secrétaire quelconque au bout de cinq minutes. Il aurait fallu s'excuser : d'avoir besoin de temps, même pas pour moi, d'avoir changé d'avis, de vouloir changer de vie. Je n'avais pas l'intention de m'excuser. Après avoir marché une bonne demi-heure, je dénichai finalement un café internet où j'écrivis un mail destiné à l'état-major de brigade, avec copie au capitaine de ma compagnie, qui présentait ma démission et ma cessation, à compter de ce jour, de toute activité militaire qui m'oblige à repartir en mission à l'étranger (je restais ouvert cependant à toute proposition de mutation ou de reclassement), ou dans une région de France trop éloignée de mon adresse actuelle, que je pris soin de ne pas préciser. Mais, là encore, la réponse de la hiérarchie ne se fit pas attendre.

Le mail était assez long et difficile à lire, dès lors qu'on n'avait pas l'habitude des tournures de langage des petits fonctionnaires de l'armée, peut-être s'agissait-il d'une réponse automatique : si je ne me présentais pas d'ici trois jours à la caserne, afin de reprendre mon service actif, à la disposition de mon capitaine, de ma brigade, et aux côtés de mes camarades qui, eux, combattaient encore, je serais considéré comme un déserteur, susceptible d'être poursuivi, ainsi que le prévoyait la loi, par toutes les forces disponibles de la gendarmerie, qui n'aurait d'ailleurs aucune difficulté à me retrouver où que je sois, en France ou hors de France, puis je serais ramené de force aux obligations qui étaient spécifiées dans le contrat que j'avais signé, en toute connaissance de cause, était-il rappelé et souligné, après avoir passé probablement trois ou quatre semaines au trou, pour m'apprendre la discipline et le respect des engagements pris. *Déserteur* : le terme me plaisait, sonnait agréablement à mes oreilles, bien que tout ce qui s'y rapportait me parût encore nébuleux. Mais j'allais devoir trouver un endroit où me cacher avec Cat, et puis de l'argent afin de fuir à l'étranger, plus tard.

Nous quittâmes l'hôtel l'après-midi même, sans que j'en donne clairement les raisons à Cat qui aurait pu, c'était ma crainte, se faire du mauvais sang, ou simplement être déçue (je ne voulais absolument pas la décevoir), et nous nous rendîmes avec armes et bagages chez ma mère, pour quelques jours, une ou deux semaines tout au plus, dis-je à Cat. Nous eûmes très froid en attendant le bus, Cat surtout qui s'était habillée dans le but de me plaire, non dans celui de jouer les fugitives et, pour cette raison, ou parce que nous ne prenions pas un taxi, ou parce que je l'emmenais chez ma mère et que ce ne pouvait être en aucun cas le réflexe d'un homme prévoyant qui a un peu d'argent de côté, Cat semblait très mécontente, ce qui se traduisait par des sourcils froncés jusqu'à leur point de rencontre, des narines dilatées et des lèvres qui faisaient trembler le reflet de son visage résolument tourné vers la vitre. Je ne l'avais jamais vue fâchée, je ne savais que faire. Mais ça ne me déplut pas de la découvrir ainsi. Et comme je n'avais pas le choix, et elle non plus, à vrai dire, et que ses moues ne l'enlaidissaient pas mais, au contraire, la rendaient plus attirante, je la laissai tranquille, ce qui avait le mérite de me faire passer, me dis-je, même très provisoirement, pour un homme viril et peu soucieux de l'opinion d'une femme – mais était-ce bien ce genre d'homme que Cat appréciait ? Dans le doute, et même si j'étais excité par la nouvelle aventure qui s'annonçait, je me tus et me contentai de penser à ma mère le reste du trajet.

Celle-ci ne montra aucune surprise à notre arrivée. Elle fit bon accueil à Cat que je lui présentai comme une amie, sans plus, ce qui la fit soupirer bruyamment et lever les yeux au ciel. De son côté, chez ma mère, Cat changea complètement d'humeur, redevint la séductrice qu'elle savait être, ostensiblement, se mit à faire la conversation, ne retrouvant son air revêche que lorsque son regard croisait par hasard le mien. Elle complimenta ma mère sur son appartement, et sans doute était-elle sincère. Il me semblait être de trop. Après avoir montré mon ancienne chambre à Cat qui se mit alors à soupirer, elle aussi, je visite beaucoup de chambres aujourd'hui, me dit-elle, elle ne manquait pas d'humour étant donné la situation, après avoir installé Cat je remerciai ma mère, l'assurai que nous ne l'embêterions pas longtemps, si Kérim voulait bien nous aider (je ne sais pourquoi, j'imaginais que ma mère serait susceptible de rapporter ces propos à Ké, et de plaider ma cause), ce qui eut pour effet de dissiper pour le moment son inquiétude au sujet de mon avenir, maintenant que je quittais mon métier, le métier qui l'avait rendue fière. Et je l'embrassai sur le front, n'osai embrasser Cat, puis je laissai mes femmes (quelle drôle d'expression) derrière moi, qui me fixaient toutes deux alignées et les bras croisés, pour me rendre à l'hôpital.

Le ciel était sombre, extrêmement, et toujours fourragé par les deux rayons de lumière que j'avais remarqués l'autre jour, comme si un prophète fou, installé en ermite au cœur de la montagne, avait voulu nous avertir du danger que faisaient peser sur nous les nuages bas. Cela devait coûter bien cher de maintenir cet éclairage jour et nuit, me dis-je, un peu amer. Je trouvais tout à coup injuste d'avoir tant de choses bonnes et respectables à accomplir, de devoir sauver Cat et rester jusqu'à la fin auprès de Kérim, avec si peu de moyens. J'avais aimé être pauvre jusqu'à présent, ne pas être riche. Mais j'avais besoin d'argent désormais, et plus précisément, il fallait s'y résoudre au vu des circonstances, de celui de Kérim. Je n'étais pas vénal, et c'était bien la première fois que je m'intéressais à sa fortune que, au vu de son attitude, de l'attitude de ses gens, de son charisme, et de la manière qu'il avait de se sentir partout chez lui, y compris dans une chambre stérile, je pensais considérable, même si, pessimiste et rêveur, je n'aurais jamais dû m'en soucier – même si, idéalement, ce que je pouvais retirer de ma petite existence, mes propres forces, aurait dû me suffire.

En hématologie, le plus grand calme régnait. Je ne rencontrai personne dans le hall de réception. Personne non plus dans le couloir. On aurait pu croire que l'endroit avait été déserté, et que tous les malades avaient passé en même temps, la nuit précédente. Cette idée m'effraya, plus que de raison, et j'étais sur le point de m'en aller quand, passant devant la porte entrouverte de la salle de repos des médecins et des infirmières, qui laissait se déverser sur le seuil une épaisse lumière jaune entrecoupée d'ombres rapides et dansantes, je pus voir que presque tout le service s'était regroupé là, faisant face, d'un côté des tables qui avaient été regroupées et disposées au centre de la pièce, à Oscar et trois de ses hommes. Gazi était là aussi, assis. Il me paraissait encore plus petit qu'à l'ordinaire, écrasé par la main droite d'Oscar posée sur sa nuque, et passablement agité. L'air absent, Oscar semblait n'écouter que d'une oreille le médecin qui s'adressait à lui sur un ton sans équivoque, la mine sombre, tranchant sans discontinuer de ses deux mains ouvertes l'air devant lui. Puis le silence se fit brusquement, juste au moment où, me grondant de ma curiosité, et me rappelant soudain que Cat m'attendait, j'allais m'éclipser. Enfin, au bout d'un assez long moment de tension, comme s'il cédait à une menace, Gazi finit par s'affaler plus qu'il ne se pencha sur la table, jetant des coups d'œil désespérés au médecin grisonnant qui était debout à présent et croisait les bras comme s'il voulait se montrer inflexible, très grand et impressionnant dans sa longue blouse blanche, puis il prit un stylo et signa plusieurs papiers qu'il balaya ensuite d'un revers de main loin de lui. Alors chacun parut reprendre vie et se souvenir qu'il avait du travail, et les chaises déplacées se mirent à produire un bruit infernal ; je profitai du remue-ménage pour me glisser jusqu'à la chambre de Kérim.

Celui-ci m'accueillit avec un large sourire, qui me fit penser à une bannière déchirée. J'ai de bonnes nouvelles, me dit-il sans attendre, plusieurs. Tu te rends compte ? Mais laisse-moi t'expliquer tout ça. Et, pour la première fois, ne se contentant pas de vagues allusions, il me parla en détail du grand projet qu'il concevait.

— As-tu remarqué ces derniers jours dans le ciel, me demanda Kérim, deux rayons de lumière ?

— Ah, oui, encore en venant… Impossible de les manquer.

— C'est le but, c'est le but, dit-il avec satisfaction.

Ké avait racheté, quelques semaines avant de tomber malade, avant qu'on lui découvre cette maladie, corrigea-t-il en montrant les dents et en se frappant la poitrine d'un coup sec, d'un coup qui se voulait puissant et sec, il avait repris les bâtiments situés sur un replat de la montagne qui dominait C., à l'est de la ville, et que nous avions visités une fois tous les deux, si je me rappelais bien, lors d'une sortie scolaire, d'après les légendes, trois saints ont été torturés là tu sais, me dit Kérim, l'air inconsolable : le premier a été enfermé dans un tonneau préalablement planté de clous pointant vers l'intérieur, puis jeté du sommet de la montagne, mais il était toujours vivant quand on l'a ramassé en bas, et il a fallu l'achever – c'est increvable, les saints, il n'y a plus rien en eux à casser ou à contraindre, et peut-être aussi plus beaucoup de vie à prendre. Le deuxième a été pendu par les orteils dans la forêt entourant le belvédère, et suspendu dans le vide au-dessus de ce qui n'était encore rien de plus qu'un gros bourg, mais on ne sait pas si une potence a été montée et employée pour l'occasion, ou si on a utilisé simplement la branche d'un gros arbre. Celui-là est certainement mort d'une hémorragie cérébrale, il est dommage qu'aucun médecin n'ait assisté à la scène, comme cela se fait couramment aujourd'hui quand on décide de tuer ou de torturer quelqu'un très officiellement – dans ce domaine-là, parmi tant d'autres, on peut bien dire que nous avons fait des progrès. Le dernier des trois a été banalement frappé, mutilé, brûlé au tison, émasculé, privé de ses pieds et de ses mains, empalé sur une lance, transpercé de flèches, et décapité, mais comme, après ça, selon les soldats qui s'étaient occupés de lui, son corps bougeait encore, ils enfermèrent ses restes dans un sac que je ne peux imaginer qu'en toile de jute, le jetèrent du haut de la montagne, le récupérèrent en bas et le noyèrent dans une rivière. L'histoire n'en dit rien, mais je parie que les soudards à qui on avait confié ce sale boulot ont été hantés jusqu'à la fin de leurs jours par le souvenir du saint, pas tant marqués par la vue du sang et les odeurs de boucherie que par l'air morne et la passivité d'un homme qui avait paru s'ennuyer, et que, de retour dans leurs fermes ou dans leurs tavernes favorites, ils ne pouvaient plus entendre sans trembler un bruit inhabituel, un craquement de branche dans leur dos ou le souffle du vent la nuit dans les forêts de bouleaux, persuadés que le saint était revenu se venger d'eux. Pourquoi, devaient-ils se demander, peut-être implorant à genoux le pardon du saint, nous n'avons fait qu'obéir... Et la vie n'est pas plus juste que nous n'avons été méchants... Nous avons honoré cet homme à notre manière... Sans nous, que serait-il devenu ?

Même s'il se moquait d'eux, je crois que Kérim comprenait ces martyrs, et les enviait – leurs fins brutales, prévues, désirées même, et puis la reconnaissance et le culte qui s'ensuivaient, tout cela l'attirait, je le savais, encore davantage maintenant. Et, parfois, quand je repense à Kérim, quand mes souvenirs se sont péniblement extirpés du gris qui s'est étendu sur ma mémoire, c'est un malade enfermé dans un tonneau que je revois, ou bien un corps verdâtre pendu, souffrant une double damnation et bien plus que tous les saints du monde réunis, sans conviction ni croyance à propager, mourant pour lui seulement, pour rien.

Là-haut l'hôtel était à peu près en état mais l'ermitage n'était plus qu'une ruine, reprit Ké, au total ça ne lui avait pas coûté grand-chose. Il avait fait commencer les travaux immédiatement après la signature de l'acte de vente, faisant intervenir en même temps sur le chantier, dans la mesure du possible, tous les meilleurs artisans de C. et de ses environs, ce qui n'était pas allé tout seul, d'ici, me dit-il, je ne peux pas les serrer de près, mais assez rapidement Oscar avait pris les choses en main et semblait régler les conflits, d'après ses propres dires, avant même qu'ils n'éclatent, et d'une façon qui ne lésait personne, selon toute vraisemblance, puisque la rénovation était allée bon train, et s'achevait. Kérim me montra les plans qu'on lui avait apportés dans la chambre stérile, et qu'il gardait en permanence à portée de main : ils avaient été tant de fois consultés que le papier, maculé de traces d'encre, avait gondolé, à la façon, pensai-je, du livre préféré d'un enfant qui finit par s'abîmer en même temps que l'imagination de l'enfant flétrit, et ne parvient plus à le transporter comme avant. D'abord, il me décrivit rapidement la disposition et l'équipement de la grande cuisine au rez-de-chaussée de l'ancien hôtel, moderne, précisa-t-il, c'est-à-dire qu'elle permettrait de préparer excellemment les plats les plus simples et les plus diététiques, puis, changeant de feuille, Ké pointa pour moi, un à un, de son index décharné à l'ongle jauni, des dizaines de petits carrés strictement identiques. C'étaient les anciennes cellules de moine de l'ermitage, que l'on avait transformées en chambres simples, sobres, dont les murs avaient été passés à la chaux (mais peut-être, me dit-il, j'y ai bien réfléchi, je ne sais pas, nous allons changer de couleur, le blanc seul ça ne va pas), et l'ouverture, pour la plupart d'entre elles, déplacée ou agrandie, dans le but d'encastrer une fenêtre à hauteur d'homme (tu ne sais pas ce que ça coûte toi, se plaignit Ké, de refaire entièrement une pièce), puis on les avait aménagées avec un lit large et confortable, un fauteuil, une armoire pas trop encombrante et une écritoire. Une fois sorti d'ici, dit Kérim, je me retirerai là-haut, et j'accueillerai autant de gens, malades en rupture, dégénérés et éclopés qu'il y a de place disponible, sans discrimination – de là-haut on voit différemment, me dit Kérim rêveusement, il n'y a pas d'odeur de plastique et d'éther, pas de puanteur, peut-être ce ne sera pas l'idéal pendant l'hiver, admit-il, je ne sais pas si tu te souviens que le fond du belvédère est fermé par une sorte de grotte, mais le froid et l'humidité ne me gênent pas. Il se pourrait que j'aie pris l'habitude du climat : après tout, je suis né ici.

La fin définitive du chantier était prévue pour mars, soit dans trois semaines à peine mais, même sous la conduite d'Oscar, que Ké, l'air admiratif, décrivait comme ferme et bienveillante, il était peu probable que les délais soient tenus. De toute façon, me dit Kérim, soudain grave, j'ai besoin de temps pour me remonter, et c'était en effet comme s'il avait établi, parallèlement à celui des travaux, un calendrier de guérison très précis, ayant déjà anticipé les améliorations de son état et les rechutes éventuelles, enfin toutes les péripéties sur le chemin de sa propre rémission... Moi, j'avais bien du mal à sonder et à percer le vague de l'heure d'après, du jour d'après... Mais cette projection de ses pensées était sans doute une nécessité pour Ké, ainsi que celle de se constituer lui-même en objet d'étude scientifique, médicale, comme si c'était quelqu'un d'autre que lui qui souffrait, afin de se détacher un peu de la douleur permanente, qui l'emportait impuissant dans ses flux et reflux, comme un bouchon sur l'eau... Car aujourd'hui est un jour heureux, me lança-t-il en se redressant et en toussant, ils m'ont enfin trouvé un donneur de moelle, et dès que j'aurai fini le prochain cycle de chimio je pourrai être greffé. Et après ça, dit-il en faisant mine de jeter quelque chose en l'air… Ça va marcher, pas de problème, je me connais… Ça va marcher, répéta-t-il plus bas. Je n'aurais pu dire si Kérim savait que Gazi était le donneur compatible, et s'il avait donné des instructions à Oscar pour contraindre son frère à signer les papiers par lesquels il consentait à un prélèvement et à l'utilisation de sa moelle (ce qui, comme je l'appris bien après, alors même que chacun avait pu remarquer les grandes réticences de Gazi, parut absolument normal à tous, corps médical et proches, davantage irrités par les hésitations criminelles de Gazi et son manque déroutant de sens du devoir, que par les agissements d'Oscar qui lui avait visiblement forcé la main), ou si, isolé, laissé sans nouvelles dans son naufrage personnel, il ignorait le détail pour se consacrer à son immense et chimérique dessein, traitant le sable de ses pensées comme le mortier qui lui permettrait de bâtir des châteaux dans la montagne, meublant l'Invisible tout autour de lui, le silence et le vide, de fantasmes qui lui semblaient avoir pris corps.

J'avais la désagréable sensation, par ailleurs, qu'Oscar profitait habilement de Ké et de ses ressources, j'allais dire de sa bonté, mais Kérim n'avait jamais été bon, du moins ce n'était pas ce que j'aurais dit de lui, spontanément. Mais peut-être étais-je simplement jaloux d'Oscar, auquel Ké semblait très sincèrement attaché, bien au-delà des services qu'il pouvait lui rendre, j'étais, me dis-je, comme ces anciens amants qui n'ont cessé d'être obsédés par la personne aimée pendant tout le temps qu'ils passent séparés : de retour, au nom de la constance de leurs pensées et de leur amour, ils s'attendent à retrouver toute leur place. Et, sans doute parce que je craignais de lui déplaire, d'une manière ou d'une autre, en dénonçant Oscar ou en ayant l'air de l'accuser, lui, d'avoir contraint son frère, je ne dis rien à mon ami de la scène à laquelle je venais d'assister, dans la salle de repos. De toute façon, je crois que j'aimais davantage Ké lorsqu'il était nimbé de mystère, que je savais peu de chose sur ses motivations, sur son quotidien, et que sa vie entière constituait le terrain d'une enquête passionnante que j'étais libre de mener, avec, le plus souvent, le propre concours de Kérim que ma curiosité amusait et flattait – je m'aimais, moi, davantage, quand il m'arrivait de pratiquer ce jeu de pistes qui le mettait en gloire, Ké s'en rendait compte, et dans lequel la vérité n'était qu'accessoire, ne servait à personne, et surtout pas à moi… Ce jour-là encore, désirant garder une image merveilleuse de lui et de notre amitié, je ne lui posai aucune question, et le laissai à sa joie.

J'attendis le lendemain pour parler à Kérim des ennuis dans lesquels j'avais volontairement plongé, de Lily (devant lui, je ne sais pourquoi, je n'avais pas envie de l'appeler Cat), de l'armée dont je m'étais lassé et que j'avais même pris en horreur, de ma désertion enfin et de mes besoins pressants d'argent. S'il pouvait, c'est la réponse qu'il me fit, sans réfléchir et de façon assez solennelle, s'il pouvait m'aider à fuir avec cette Lily ou sans elle, il le ferait bien sûr, et il ajouta en clignant difficilement d'un œil qu'il me devait bien ça. En attendant, il me proposait, maintenant qu'il était parfaitement habitable, de m'installer à l'ermitage, et de m'y cacher le temps qu'il faudrait, seul ou bien accompagné, prit-il le soin de préciser. Parce qu'il donnait l'impression de résoudre tous les problèmes ainsi, aisément, et de façon presque magique (quand bien même ces problèmes étaient en partie provoqués par lui, ou bien par son entourage, ou bien par mon retour à C., j'en avais conscience), mon esprit influençable, s'il n'allait pas jusqu'à prendre Kérim pour un faiseur de miracles, tendait à croire qu'il était tout de même un peu plus qu'un homme, et que, peut-être, en raison de notre relation privilégiée et unique, ce fait n'apparaissait qu'à moi, et que je serais le seul à profiter de ses dons. Je me trompais. Ké entendait bien dispenser ses largesses au plus grand nombre, et être *reconnu* pour ce qu'il pensait être, un homme exceptionnel. Toujours est-il qu'il m'encouragea à réfléchir à sa proposition, mais pas trop longtemps, me dit-il, parce qu'il trouvait inutile de donner plus de fatigue et de souci à ma mère que je devais, c'était rituel, bien saluer de sa part – il omit, volontairement ou involontairement, comment juger exactement de la responsabilité de son état dans ses oublis, d'inclure Cat dans son salut. Puis il me congédia, en marmonnant, comme pour lui-même, qu'il faudrait tout de même s'occuper de ce fameux sergent, quand on aurait le temps. Et, même si j'avais une peur bleue de ce qu'il pourrait faire à ce sujet, je m'en allai sans le reprendre, trouvant hasardeux de le contredire, mon bienfaiteur, et sur le chemin du retour je finis par me convaincre que, sans doute, je ne l'avais pas bien compris.

Le mois de février fut tout entier occupé par notre emménagement à l'ermitage, et par la greffe de Kérim. Ma mère n'avait aucune envie de nous voir partir, même pour une cache plus sûre, elle et Cat s'entendaient de mieux en mieux (il était possible que Cat joue la comédie mais, dans ce cas, ma mère feignait de ne pas s'en apercevoir ou bien elle s'en moquait), et puis elle se sentait seule, plus qu'elle ne voulait l'admettre, et, comme tous les gens libérés un instant de leur forteresse de solitude, elle aurait fait n'importe quoi, jusqu'à nous mettre en péril, Cat et moi, pour éviter de s'y retrouver enfermée à nouveau. Je me rappelle notre départ : il y avait quelque chose d'irrémédiable dans nos adieux, quelque chose dans la façon qu'eut ma mère de m'embrasser et de me serrer contre elle, avec une tendresse immense et cependant retenue par la crainte d'éprouver davantage de regret, qui me donna l'impression que je ne la reverrais plus, mais aussi que je courais cette fois un danger plus grand que lorsque je l'avais quittée pour l'armée et la guerre. Passant la porte je chassai ces pensées moroses, il ne me semblait pas être devenu un fugitif, à ce moment-là ; je me retirais, simplement, en attendant des jours meilleurs.

Un soleil prometteur s'était levé et perçait le brouillard, nous étions peu chargés, et je décidai pour rejoindre l'ermitage de suivre un sentier escarpé qui serpentait dans la forêt, à flanc de montagne. Il y en avait pour deux heures de marche, mais Cat ne protesta pas, étonnamment. Elle faisait preuve d'un grand courage, tout bien considéré, je veux dire d'un grand courage physique : elle grimpa à son rythme, presque sans arrêt, ne se tordit pas les chevilles en marchant sur les racines du mauvais chemin, malgré ses talons hauts, ne soupira pas, ne grommela pas. Je crois que, anticipant de quelques heures, de quelques jours ou même de quelques années notre fuite et notre isolement, là-haut, Cat s'était déjà enfermée en elle-même, s'était constituée en bloc sur lequel tout était susceptible de glisser, l'effort, l'humidité, le manque de chance et ma fréquentation, et tout le malheur qui m'avait toujours paru chose liquide. Quant à moi, j'essayais de m'ouvrir au spectacle de la nature. Mais, une fois pénétré le couvert des sapins dont les cimes et le vert profond, de loin, pouvaient nous attirer, c'était un marron de décomposition qui dominait le regard, branches courbées et emmêlées et feuilles en bouillie dans le sous-bois, dont le pâle soleil d'hiver ne parvenait pas à ranimer les nuances ou à réchauffer les pousses encore fragiles qui triompheraient bientôt. Il m'aurait fallu être seul, peut-être, et que le silence obstiné de Cat ne fût que le mien. Cependant celle-ci traçait sa route, sans indulgence pour le paysage affligeant et mouillé, me devançant régulièrement et m'obligeant à accélérer le pas plus que je ne l'aurais souhaité. Et, en milieu de matinée, en avance sur mes prévisions, nous descendîmes prudemment un escalier qui aboutissait au belvédère étroit où le dernier refuge de Ké, d'un blanc éclatant et intimidant, s'extrayait pour nous lentement de la brume.

D'en bas, ce nid d'aigle m'avait fait songer à une blessure que se serait infligée la montagne elle-même, comme si la roche avait été sans cesse grattée jusqu'à ce que les arbres soient écrasés et déracinés, comme si on avait rouvert ce qui n'avait dû être au départ qu'une simple entaille, et constituait, à présent, une véritable cicatrice. En chemin, à travers les éclaircies de la frondaison, mon idée avait changé, et ce qu'on pouvait apercevoir du replat m'avait fait penser tantôt à une excroissance dentaire, à une molaire exagérée et indéracinable, tantôt à une bouche lippue, point de départ d'une figure humaine qui était en train de naître sur une face de la montagne. Mais à présent, de près, mon impression était encore différente : c'était un lieu qui paraissait irréel, comme devaient l'être les thébaïdes, certaines îles ou bien certains déserts que la guerre épargnait. Les projecteurs étaient éteints. Il n'y avait plus aucune trace de travaux, de chantier, ou d'inachèvement. Tout était propre, et parfait, c'est-à-dire que les édifices que nous découvrions n'auraient pas pu être construits autrement : ils semblaient à la fois neufs et sortis de terre depuis une éternité, anciens mais comme épargnés par l'histoire et lavés continuellement par le vent qui tourbillonnait, ne laissait rien se déposer durablement et emportait tout, tout. Mes yeux étaient grand ouverts, éblouis. Ceux de Cat restaient à demi fermés et fixaient le sol devant elle ; elle frissonnait. Pensant un instant partager avec elle un même sentiment d'admiration et d'effroi, je la pris dans mes bras mais elle ne se laissa pas faire, ne s'abandonna pas. Agacé, je finis par la repousser avec brusquerie, puis, lui tournant le dos et me désintéressant d'elle, j'ouvris la porte de l'ermitage avec la clé que m'avait confiée Oscar et j'entrai, essayant de m'imprégner des odeurs de peinture fraîche, des odeurs vierges.

J'errais d'un bout du bâtiment à l'autre le reste de la journée, évitant de croiser Cat, inspectant chaque cellule, passant du grenier reconverti en pièce commune avec un téléviseur et des canapés qui ne paraissaient pas excessivement confortables, au sous-sol rempli de l'essentiel et du superflu, eau, pâtes, riz, conserves, champagne, bouteilles de gaz et réchauds, cartons d'ustensiles de cuisine parmi les plus chers, et autres denrées qui paraissaient suffisantes pour tenir un siège. Mais une fois entré, et en dépit de l'hostilité injustifiée dont faisait preuve Cat à mon égard (c'était pourtant une sorte de paradis que, grâce à mes relations, je lui proposais), je n'osai plus m'aventurer dehors, pousser jusqu'au sommet de la montagne, ou simplement explorer à son tour l'hôtel qui n'était distant que d'une centaine de mètres, ou, encore plus près, la grotte sur la droite de l'ermitage, au pied du grand escalier, d'où provenait le bruit assourdissant et glacé d'une source. Ce n'était pas par crainte soudaine des gendarmes, ou d'être reconnu par un promeneur égaré puis dénoncé. Seulement, peu à peu refroidi par les allures de pension de l'ermitage, je n'avais pas le sentiment qu'il me serait possible de trouver un foyer entre ces murs, mais plutôt que j'échouais une nouvelle fois dans un hôtel, et je trouvais inutile de sortir et de me confronter aux curiosités et bizarreries d'un lieu qui ne serait jamais mien, où je ne faisais que passer ; le cafard qui me venait immanquablement, dans ce genre d'endroits, m'avait repris.

Le soir arriva, et nous étions toujours seuls. Je n'avais pas échangé plus de trois mots avec Cat. Cependant, après avoir verrouillé la porte d'entrée et fermé tous les volets, ce qui représenta un travail considérable et absurde, Cat commença visiblement à se détendre. J'allais pousser la porte de la cellule que je m'étais choisie, au deuxième étage, quand elle apparut sur le seuil, sans ses affaires qu'elle avait laissées quelque part à l'autre extrémité du bâtiment ; elle entra, et referma derrière elle. Là, sans plus de paroles qu'à l'ordinaire, nous passâmes la nuit ensemble.

Le lendemain et tous les jours suivants, quel que fût le temps, ou mon humeur, je descendais à pied de la montagne pour rendre visite à Kérim. Je ne sais pourquoi cette marche jusqu'à l'hôpital, et plus encore le retour vers l'ermitage, me rappela mes classes, peut-être parce que, ayant coupé les ponts avec ce qui faisait ma vie jusqu'alors, et possiblement recherché, je faisais encore l'enfant, jouais à être prudent, comme un Indien ou comme un soldat de fantaisie, particulièrement à C. et aux alentours de l'hôpital, devant lequel un des hommes d'Oscar était placé en faction pour éviter toute mauvaise surprise, ou peut-être, plus simplement, parce que ces allers-retours se révélèrent inutiles. La moelle de Gazi avait été prélevée quelques jours plus tôt, puis nettoyée. Kérim se trouvait à l'isolement, et les visites étaient désormais interdites. Sa greffe avait commencé.

Au matin de notre huitième jour à l'ermitage, alors que la routine du couple un peu particulier que je formais avec Cat se mettait péniblement en place, Oscar fit son apparition. Après avoir sonné de nombreuses fois à l'entrée (il y avait, au-dessus de la porte, une clochette d'où pendait une chaîne que ni Cat ni moi n'avions remarquée, et nous n'avions pas tout de suite compris ce que pouvaient signifier ces tintements désagréables), puis patienté un moment, il ouvrit avec sa propre clé, et, nous ayant trouvés, chacun dans notre chambre (je ne peux pas dire qu'il me fut agréable de le voir tout à coup sur mon seuil, et encore moins d'apprendre qu'il s'était permis d'entrer dans la chambre de Cat pour la réveiller), Oscar nous présenta avec beaucoup d'affectation ses deux parents, qui paraissaient aussi ébahis que je l'avais été lors de mon arrivée et me prêtèrent à peine attention, ainsi que sa jeune sœur, qui ne devait pas avoir plus de dix ou douze ans. Cat était dans un bon jour (indépendamment de moi, son humeur n'avait fait que s'améliorer depuis que nous étions ici, elle resplendissait), et elle coupa court aux politesses gênées que nous échangions depuis quelques minutes en embarquant la famille d'Oscar pour une visite complète et enthousiaste de l'ermitage, ce qui réjouit le père qui se recoiffa et lissa discrètement sa broussaille de moustache, et un peu moins la mère d'Oscar, qui semblait outrée qu'une étrangère lui fît faire le tour d'une maison dans laquelle, après tout, son fils lui avait assuré qu'ils pourraient être comme chez eux. Pendant leur tour du propriétaire, Oscar m'attira à l'extérieur. Après avoir allumé une cigarette, il me désigna un homme corpulent qui déchargeait quantité de bagages hétéroclites d'une voiture. C'est Maji, me dit Oscar, il va habiter ici avec vous tous, il fait très bien la cuisine, il est discret et il veillera sur ma famille, surtout sur ma sœur qui est encore petite. Sur ordre de Kérim, précisa-t-il après m'avoir dévisagé en silence. Je ne sus s'il fallait remercier Oscar ou protester. Et, regagnant ma cellule après son départ, puis me tournant et me retournant dans mon lit cette nuit-là, je ne pus cesser de m'inquiéter du pouvoir qu'Oscar avait sur nous tout à coup, tandis que, à l'hôpital, Kérim luttait pour sa vie.

Toute la semaine affluèrent à l'ermitage de nouveaux locataires, les plus divers qui soient : un peintre et une écrivaine, le premier semblait en état de choc et, aurait-on dit, sur le point de mettre fin à ses jours, la deuxième, mal embouchée et timide, ne supportait pas le bruit, ni les tournures de phrase incorrectes ; puis débarqua un ingénieur au chômage et, peu de temps après, un homme dont l'affaire de spiritueux avait fait faillite, accompagné de deux jeunes poètes en guenilles, littéralement, mexicains ou chiliens ; un bûcheron et sculpteur sur bois nous rejoignit également, ainsi qu'un éleveur du plateau tout juste sorti de l'institut psychiatrique, qu'Oscar avait rencontré dans le parc qui, décrivant un grand arc de cercle, bordait le complexe hospitalier de C., une mère célibataire, comme on dit, à l'abord difficile et au comportement agressif, accompagnée de ses quatre enfants, presque tous en bas âge, un retraité qui ne parvenait plus à payer son loyer et sentait très mauvais, suivi d'un pilote d'avion charmeur et aux prises avec toutes sortes d'addictions, qui avait conduit quelquefois Kérim dans un petit biplace privé. Puis, au soir de notre troisième dimanche passé à l'ermitage, les parents de Kérim firent leur arrivée.

Ils étaient accompagnés d'Oscar qui les traitait avec beaucoup de considération, soutenant le poignet et le coude d'Hayet, la mère de Kérim, pour l'aider à monter les marches inégales du perron, tout en faisant preuve d'une raideur très affectée pour céder le passage au père de Ké. Mais, malgré ses égards, les parents de Kérim semblaient terrorisés. Ils n'avaient pas l'air d'hôtes de marque, plutôt de prisonniers. J'avais vu des chefs de tribu importants, capturés après avoir repoussé plusieurs assauts successifs de troupes surentraînées, être accueillis à notre camp de base avec un respect semblable, dans un silence identique à celui qui se fit lorsque les parents de Ké entrèrent dans l'ermitage, un silence vide de pensée, qui ne pouvait faire songer qu'à la violence et à la mort. Pourtant, ces deux-là ne paraissaient pas des ennemis bien redoutables, ils paraissaient si fragiles… Deux êtres craintifs que leur fils avait sortis de la petite maison où ils se terraient puis jetés sur une route de montagne comme on jette des innocents dans la guerre, et qu'il forçait à vivre où lui le souhaitait pour des raisons qui dépassaient l'entendement, et ce père et cette mère qui ressemblaient à présent à des enfants, avançaient collés l'un contre l'autre, attendant une punition qu'ils ne comprendraient pas, en vertu de règles qu'ils ne comprenaient pas, tout cela, c'était leur sentiment comme je le compris trop tard, pour avoir mis au monde et aimé un démon qui avait pris l'apparence d'un ange… Cela expliquait pour eux cette leucémie contractée si jeune, Kérim était en réalité un démon… Ce fut lorsque Hayet, péniblement parvenue au dernier des trois étages, éclata en sanglots, que j'intervins, et, m'étant rappelé à leur souvenir puis ayant écarté Oscar du bras, aussi difficilement que s'il avait pesé une tonne (comme si Kérim, prévoyant, lui avait délégué avant d'être affaibli la plus grande partie de sa force), je les menai jusqu'à une cellule inoccupée qui jouxtait la mienne, dans laquelle j'installai un lit supplémentaire. Hayet ne cessait pas de pleurer. Quand Liem, son mari, vit que c'était peine perdue d'essayer de la consoler, il leva les yeux vers moi et, pour la première fois, il parut me reconnaître. Toi aussi, Charles, toi aussi, me dit-il. Puis il se mit à regarder tout autour de lui comme s'il n'avait pas encore remarqué qu'il se trouvait à l'intérieur. Tu te plais ici, me demanda-t-il, est-ce que c'est bien?

Pendant les jours qui suivirent, il se passa une chose curieuse : malgré la méfiance naturelle (moi elle me semblait naturelle) que nous ressentions les uns envers les autres, malgré la peur de l'inconnu que la plupart éprouvaient, et des lendemains qui semblaient suspendus à la seule volonté de Ké, ou, pour l'instant, à celle de son représentant omnipotent Oscar, les gens de l'ermitage se mirent à vivre ensemble, et notre petite population d'exilés commença à s'organiser du mieux possible, contrainte et forcée, puis, peu à peu, à échanger ce qui pouvait l'être, les conseils, et puis les marques d'affection et de soutien. Et il est remarquable que, alors que nous ne savions presque rien les uns des autres, et que même ce presque rien avait été comme balayé à notre entrée dans la *Maison des nuages*, comme l'appelaient certains, dans le *Monastère*, comme disaient d'autres plus banalement, dans une *Maison d'arrêt*, pensions-nous souvent avec Cat, entrée qui nous avait apporté, comme si nous avions passé une porte enchantée, l'oubli de nos existences antérieures – je trouve toujours extraordinaire que notre principal sujet de conversation portât tout de suite, non pas sur nos misères respectives, mais sur Kérim, son existence passée, ses accomplissements, et surtout l'évolution de son état de santé.

La dernière phase d'une chimiothérapie dite d'induction, visant à nettoyer complètement la moelle de Kérim, dont le grave dysfonctionnement était à l'origine de sa maladie, traînait en longueur. Il fallut s'y reprendre à plusieurs fois pour en terminer avec cette étape, ce qui prit six semaines de plus que ne le prévoyait le protocole de soins, soit, à trois reprises, une semaine d'action, après injection, des médicaments à haute toxicité et une semaine de récupération au bout de laquelle un échantillon de moelle était prélevé puis analysé – si l'aplasie n'était pas totale, c'est-à-dire, de ce que je compris, si la moelle de Ké continuait de produire des cellules cancéreuses, il faudrait recommencer le processus dans sa totalité. En définitive, et alors que Kérim était sur le point de demander grâce et de renoncer, on réussit à éliminer provisoirement le cancer en lui, c'est du moins l'idée que je pus tirer des explications qu'on me donna, de même qu'on avait tué une bonne partie de ses cellules saines, indistinctement globules rouges et globules blancs ; il n'y avait plus de couleur à l'intérieur de lui, plus rien, me détailla-t-il après coup, il se sentait vidé d'une façon qu'il n'avait jamais connue auparavant, comme s'il n'était plus qu'une peau, qui plus est sèche et irritée, une enveloppe privée de sa substance, put-il affirmer, si bien que le plus simple des gestes lui coûtait. Mais c'était ainsi : la greffe avait besoin d'un terrain vague, si je puis dire, d'une place nette pour prendre.

La suite, Kérim ne voulut jamais me la décrire précisément, et ce fut son père Liem qui me confia, en même temps qu'à ceux de l'ermitage, certains détails au jour le jour, puisqu'il était le seul que Ké avait réclamé auprès de lui pendant le processus de greffe, en excluant spécifiquement toute présence d'Oscar, de moi ou de sa mère dont il ne pourrait supporter dans son état, c'étaient les propos que nous avait rapportés Liem sur le ton de la confidence, les pleurnicheries continuelles, et cet arrangement devrait durer jusqu'à sa rémission et, dit-il de façon étrange à son père, mais il est vrai que sa fièvre à ce moment-là tombait rarement au-dessous des quarante degrés, jusqu'à son *triomphe*. À notre demande, Liem nous fit d'abord le récit de la greffe proprement dite, récit sans intérêt d'après lui, même si lui et son fils s'en étaient fait toute une histoire à force d'entendre le terme répété par les médecins sur le ton le plus superstitieux qui soit, comme s'il s'agissait d'un talisman puissant qui pourrait tout arranger, immédiatement. Ils s'étaient attendus, le jour prévu pour l'opération, d'abord à l'installation d'un lourd matériel chirurgical qui, seul, permettrait le retournement complet de situation qu'on leur avait promis, ensuite, éventuellement, à assister à une procession religieuse avec cagoules pointues et encensoirs, à la tête de laquelle se trouverait naturellement la *Greffe*, la moelle osseuse prélevée sur Gazi (jusque-là, ajouta Liem en riant, je pensais qu'il s'agissait de petits bouts d'os, d'un morceau d'os de mon autre fils, réduit en poudre pour que Ké puisse l'avaler avec de l'eau), placée dans une urne comme une relique sacrée. En vérité, nous dit Liem, rien de plus banal et décevant qu'une greffe. Non pas à l'heure exacte, alors que lui et Kérim étaient déjà à bout de patience, mais avec une heure de retard, on apporta une poche volumineuse remplie d'un liquide rouge, mais pas d'un rouge sang, plutôt d'un rosé qui le faisait ressembler à une eau légèrement colorée par de la grenadine et qui, exposé à la lumière du jour, devenait franchement orange. Une infirmière brancha la poche sur le cathéter que Kérim gardait en permanence sur la poitrine, ouvrit un robinet et, lentement, le liquide béni rampa jusqu'au cœur, jusqu'au sang et à la chair de son fils. Après une heure et demie d'injection, une alarme se mit à sonner. La poche était vide, et j'eus l'impression, nous dit Liem, que quelque chose de terrible allait arriver si on ne débranchait pas immédiatement mon fils, mais personne ne prit la peine de venir. Au bout d'un quart d'heure, et alors que je m'apprêtais à retirer moi-même le tube qui le reliait à la poche de mes mains en sueur d'ignorant, de mes mains tremblantes d'ignorant, une infirmière *qui n'était pas la même que celle qui avait apporté la moelle* entra dans la chambre après s'être *à peine lavé les mains*, je l'ai vue, j'ai eu envie de la dénoncer, puis elle passa devant moi et coupa l'alarme, décrocha la poche de la paterne et l'emporta sans nous accorder un regard ni un mot réconfortant, et tout fut terminé.

Alors commença le feuilleton de la greffe proprement dite, c'est-à-dire le bon accueil ou le mauvais accueil que Kérim allait faire au greffon, à la moelle de Gazi, feuilleton que chacun suivait avec passion à l'ermitage, commentait, et dont chaque épisode et rebondissement était attendu avec impatience, quand bien même sa conclusion, la guérison complète ou la rechute de Ké, restait un enjeu bien vague pour bon nombre de ces gens qui espéraient, simplement, que le feuilleton ne finisse jamais. Chaque jour, ou presque, Liem, extrêmement affecté mais tentant de faire bonne figure, nous rapportait de l'hôpital un bulletin de santé détaillé, comprenant l'évolution de la fièvre pour la journée, la tension, et une analyse du sang de Kérim ; et, chaque soir, après le repas pris en commun, nous nous réunissions dans le réfectoire de l'ancien hôtel, et, sans nous soucier d'être entendus par Maji qui, d'ailleurs, prenait son rôle de cuisinier à cœur et ne se préoccupait guère de nous, nous palabrions durant des heures afin d'établir si une amélioration de l'état général du malade était ou non perceptible (c'était le plus aisé), puis si le malade était sur la bonne voie, ou au contraire suivait une pente fatale. Nous devions nous battre avec des diagrammes, analyses et comptes rendus obscurs (invariablement, avant cette corvée, le poète Pacheco récitait en espagnol un court poème de Walt Whitman, comme une rapide prière), du moins ceux que Liem obtenait, qui consistaient en de longues colonnes de chiffres et de sigles, quantité d'intervalles et d'unités de mesure inconnues, et, la plupart du temps, dès que nous tombions d'accord pour qualifier l'état de Kérim de *bon*, d'*encourageant*, de *stable*, ou de *préoccupant* (ces termes nous semblaient pouvoir être ceux des médecins, du jargon médical), à partir de l'un ou l'autre des résultats que nous trouvions essentiel, nous étions détrompés dès le lendemain, lorsque Liem, n'ayant pas pu, une nouvelle fois, parler au chef du service, l'assez célèbre et reconnu professeur Auteuil, revenait de harceler l'interne de garde, qui avait qualifié nos raisonnements, au mieux, de légèrement erronés, à cause d'éléments que nous n'avions pas suffisamment pris en compte, et en raison du fait que nous n'étions pas du métier et qu'il nous était impossible de comprendre correctement des données nombreuses et complexes qui se présentaient tous les jours et que lui-même hésitait, parfois, à interpréter, au pire de stupides, et il conseillait à Liem de ne pas tenter de faire parler les analyses au-delà de ce qu'elles pourraient lui dire, à lui, interne en médecine, dont c'était le travail, contrairement à Liem qui était blanchisseur, enfin le congédiait en l'assurant qu'il serait de toute façon prévenu en cas d'évolution, favorable aussi bien que défavorable.

Nous comprîmes au bout de deux semaines que les taux de plaquettes et de globules blancs étaient ceux qu'il fallait surveiller en priorité, mais nous ne parvenions toujours pas à déterminer quel était le seuil, en microgrammes, au-dessus duquel nous aurions la preuve qu'une moelle avait remplacé l'autre sans dommage, pour ainsi dire, et que celle-ci aurait commencé à produire uniquement des cellules saines.

Un autre fait notable de cette période fut, à mon sens, tout le temps que dura ce que je me plaisais à appeler, à cause de mes lectures récentes et frénétiques (j'avais beaucoup de temps pour lire) de Tolkien, de George Orwell, de Jack London, et de Whitman qu'un des deux poètes boliviens ou chiliens m'avait fait découvrir, la *Communauté de l'ermitage*, l'incroyable optimisme qui s'empara de moi (alors même que je me trouvais encore dans une position difficile, au moins inconfortable, planqué parmi des étrangers à qui je n'avais pas fait longtemps mystère de ma situation et qui auraient pu me dénoncer du jour au lendemain), et, à voir leurs mines réjouies du matin au soir, cet optimisme avait gagné de la même manière la majorité de mes voisins et camarades, ce qui fit que, entre autres, nous refusâmes de croire Liem quand il évoqua devant nous les conséquences possibles d'un rejet du greffon par le corps de Kérim, éventualité qui n'était pas forte mais ne pouvait être totalement écartée, d'autant plus que, c'était maintenant un fait connu à l'ermitage, Ké haïssait Gazi, tout ce qui provenait de Gazi et, probablement, sa moelle également, de toute son âme. Mais mon optimisme ne concernait pas seulement la guérison éventuelle de Ké. Mon avenir, comme celui de Cat, me semblait tout à coup inexplicablement radieux, malgré la hantise, réelle, d'être retrouvé par les gendarmes, ou que le sergent cherchât un jour à récupérer Cat. Or cette vision de ce qui nous attendait, même si elle pouvait paraître artificiellement délestée du vraisemblable et du pire, ne consistait pas en un rêve. Simplement je ne me sentais plus isolé, sans l'avoir vraiment voulu, soudain je n'étais plus aux prises avec des pensées malades de n'avoir jamais vu la lumière, et j'étais heureux au milieu des autres, bien plus qu'à l'armée, nous avions un but commun, et noble, aussi dérisoire pouvait-il paraître, dans l'instant. Je me surprenais à fredonner tout au long de la journée, sans même m'en rendre compte, comme porté entièrement par un air de musique auquel j'aspirais depuis toujours.

Souvent, après le dîner, devant une audience indulgente, le bûcheron se produisait au chant accompagné par le pilote à la guitare et, quand il ne souffrait pas d'arthrite, par le retraité Henri au violon, ou bien, et c'était là mon répertoire favori et le seul, c'est bien simple, qui fît réagir les deux poètes (sinon ils restaient à l'écart, discutaient avec animation en espagnol puis restaient sans parler, l'un à côté de l'autre, pendant de longs moments, ou alors ils déclamaient avec de grands gestes après avoir lu et relu leur unique exemplaire du journal *Clarin*), Laridson, le père d'Oscar, acceptait de chanter *a capella*, les yeux fermés, après s'être fait suffisamment prié : *Amou daquela vez como se fosse a última, Beijou sua mulher como se fosse a última, E cada filho seu como se fosse o único, E atravessou a rua com seu passo tímido, Subiu a construção como se fosse máquina…* Et, un peu de la même façon que nous chantions, d'abord intimidés puis, peu à peu, libérés, nous parlions abondamment, entre nous, assez facilement, en mangeant, la bouche pleine, en tournant en rond dans la cour délimitée par les deux bâtiments, en étendant le linge et les draps qui occupaient pratiquement tous les couloirs de l'ermitage, ou en faisant un tour prudent dans la forêt, de nos préoccupations les plus intimes et de nos problèmes, mais aussi des motifs que nous avions de ne pas nous laisser aller à la mélancolie.

Cependant il arriva que, ayant d'une part évoqué la greffe sous tous ses aspects et étant sevrés pendant un temps d'informations nouvelles, et ayant détaillé, d'autre part, pour soi et avec chacun, individuellement et en groupe, nos malheurs et nos désespoirs personnels, une sorte de lassitude s'installa parmi nous, qui nous conduisit, je le crois, à nous interroger sur notre présence à l'ermitage, et, par là, au fil de nos conversations qui, parce que nous nous connaissions de mieux en mieux, étaient de plus en plus efficaces et abouties, à croiser nos souvenirs de Kérim et à mener à son propos la plus approfondie des enquêtes, sans qu'aucun d'entre nous n'ait le sentiment de faire ainsi un travail de police que nous ne pouvions que mépriser. Ingrid, la mère célibataire, nous peignit tout de suite, l'un des premiers soirs que nous réussîmes à passer toutes et tous ensemble, l'extrême générosité de Kérim, qui l'avait dispensée du rôle de nourrice qu'elle tenait depuis plus d'un an pour les dealers de sa tour, travail qu'elle avait dû accepter bon gré mal gré afin de survivre, argumenta-t-elle, pour nourrir et vêtir ses quatre enfants, et qu'elle ne pouvait arrêter, sauf en déménageant discrètement, ce qui lui était impossible faute d'argent ; en outre Kérim avait continué à l'aider financièrement, alors qu'il n'était pas obligé, tint-elle à préciser, lui glissant même un mot gentil, de temps à autre, il n'était pas obligé de faire ça, dans l'enveloppe qu'il lui faisait parvenir sans faute chaque mois. Le marchand de spiritueux n'était pas d'un autre avis, en dépit du fait que l'arrêt brutal par Kérim des achats massifs d'alcool destiné à ses hommes ou à son abondante clientèle n'avait pas peu contribué à sa ruine, mais il ne lui en voulait absolument pas, s'empressa-t-il d'ajouter en jetant des coups d'œil affolés à Maji qui débarrassait nos assiettes non loin, notamment parce qu'il l'avait trouvé toujours aussi bien disposé, et pour tout dire bavard, dans le bon sens du terme, était-il besoin de le dire, curieux et prévenant, après que Kérim eut décidé d'arrêter complètement et pour toujours de boire, quand il faisait un serment on pouvait le croire sur parole, puis imposé une sobriété semblable à l'ensemble de ses proches et collaborateurs. Pour sa part, ça n'engageait que lui évidemment, il se déclarait ébahi par la volonté de fer de Ké.

Xavier, l'éleveur, me raconta un jour, après maintes hésitations et sous le sceau du secret, avant de faire de même avec qui voudrait bien l'écouter et lui accorder un peu d'attention, sa rencontre avec Kérim un après-midi du printemps dernier, sur le plateau à une dizaine de kilomètres d'ici, comme celui-ci semblait désirer se perdre, marchant sous un soleil de plomb sans l'équipement habituel et risible des randonneurs, de toute manière jamais Kérim n'aurait pu passer pour un randonneur, il s'avançait dans l'immensité lunaire du paysage qui ressemblait à la face cachée du monde des vivants, c'était ce que Xavier avait toujours pensé, et encore plus maintenant qu'il en avait à peu près terminé avec une dépression effroyable, pour de bon, espérait-il. La curiosité étant trop forte, il avait poussé ses chèvres dans la direction de l'homme étrange, de l'homme incongru, ce fut je crois le terme qu'il employa, cet homme habillé d'une chemise hawaïenne et chaussé de baskets très blanches, presque étincelantes, qui avait fini par grimper sur un gros rocher et était, selon toute vraisemblance, sur le point de se laisser choir tête en avant quinze mètres plus bas. S'étant approché suffisamment, il s'était aperçu que Kérim pleurait. Ce qui avait ému Xavier, expliqua-t-il, ça avait été ces grosses larmes qui coulaient sans bruit sur ses joues, sans hoquets, sans reniflements ni sanglots, comme si Kérim conservait, dans sa profonde tristesse, quelque chose de la dureté calcaire du plateau, ou comme si ces larmes étaient issues du paysage même, de ses sources les plus souterraines. Ce silence digne, cette réserve au plus fort de l'accablement ou de la joie qu'on aurait pu aussi bien considérer, pensai-je alors, comme une incapacité grave à exprimer ses sentiments, comme une sorte d'autisme, le pilote d'avion pouvait aussi en témoigner, seulement elle lui était apparue, lors de leurs quelques vols, comme un respect jupitérien, ce furent ses mots, pour les magnificences du ciel. Pour ma part, après mûre réflexion, ayant attendu longtemps le bon moment, c'est-à-dire que les parents de Kérim, qui ne savaient rien encore, soient allés se coucher, je me sentis obligé un soir d'évoquer la jeunesse de Kérim, sans malice – je ne voulais pas du tout parler de moi mais, bien entendu, au bout du compte, ce fut notre jeunesse à tous les deux qu'à cette occasion je retraçai.

Je commençai, je ne sais pourquoi, par le récit de ce que Kérim avait appelé ses *nuits allemandes*, dont il m'avait fait un rapport exhaustif et, au fond, malgré les inévitables absurdités avec lesquelles il aimait enjoliver sans besoin ses aventures, à peu près véridique. Deux fois par mois, sans prévenir personne, Ké quittait C. en train. Il payait scrupuleusement son billet, par précaution, il avait de toute manière trop d'admiration pour les cheminots et les conducteurs de train, et même pour les contrôleurs, pour essayer de frauder. Je crois que, s'il en avait eu le loisir et les moyens à cette époque, il n'aurait plus fait que ça, voyager en train, sans destination particulière, en bateau aussi, goûtant les petits matins d'une ville inconnue ou de la pleine mer, il aurait appris la voile et serait devenu une espèce de grand voyageur, d'un point à l'autre du globe, n'ayant d'autre but que de se sauver. Je me rappelle une histoire qu'il ne cessait de me raconter, je ne sais toujours pas si elle est vraie, je n'ai jamais voulu vérifier, celle d'un navigateur dans les années soixante ou soixante-dix, qui, s'apprêtant à gagner une course autour du monde, en solitaire et sans escale, comme on dit, rebrousse chemin juste avant de franchir la ligne d'arrivée, ligne de toute façon imaginaire, avait-il dû se dire, sabote sa radio et s'en va en direction de l'océan Indien, ni plus vite ni plus lentement que pendant la course, puis accoste sur un des milliers d'atolls que compte la Polynésie, avant de s'enfoncer, seul, dans la jungle. Kérim aurait aimé être comme ce navigateur, ou, mieux, que moi je sois comme ce navigateur, et que je l'entraîne dans mon sillage – il rêvait surtout d'être n'importe qui d'autre, alors, d'avoir cette possibilité, n'importe où ailleurs. Mais

peut-être était-il déjà trop tard pour rebrousser chemin et prendre une voie franchement différente, une
voie de rail ou d'eau, il avait dix-sept ans. Pendant
le trajet il devait changer de train deux fois, à Paris
et à Strasbourg, traversant sans un regard la ville-
lumière d'une gare à l'autre pour prendre sa corres-
pondance, il n'aimait pas flâner s'il n'avait aucune
affaire à traiter sur place. Il s'attardait davantage à
Strasbourg, pourvu qu'il ait le temps, se promenait
volontiers au bord de l'Ill et contemplait un long
moment, en quelque sorte détaché des contingences
terrestres, affirmait-il, la façade rouge de la cathédrale, dont il me ramena une fois une carte postale
cauchemardesque.

Kérim arrivait à Lauterbourg après presque neuf
heures d'un trajet qu'il n'avait pas vu passer. Là, il
mangeait rapidement, se couvrait, puis il traversait
la frontière allemande par la forêt, sans se presser, et
parvenait aux environs de minuit dans un des petits
villages de la bordure, à Neulauterbourg, à Scheiben-
hardt, plus rarement à Büchelberg. Je l'imagine,
encore à présent, dans ces rues désertes, Waldstrasse,
Himmelstrasse, Steubenstrasse, Siegstrasse, écoutant
et mesurant ses pas sur les pavés lisses et propres,
follement libre et content, songeant peut-être à
terme, quand ses vieux jours seraient venus, à s'installer dans ce pays de cocagne, ce qui signifierait
mourir pour lui, il le savait bien. Il marchait sans se
hâter, protégé par la grosse lune allemande et salué
par les fleurs fraîches des balcons, ne croisant personne jusqu'aux rues peu éclairées qui bordaient les
champs, où il se mettait en quête du modèle de voiture qu'on lui avait commandé ou qu'il savait populaire alors, généralement une Mercedes ou une Audi

noire qu'il ouvrait et démarrait facilement à l'aide d'un appareil électronique de son invention, puis, conduisant prudemment, s'arrêtant à chaque feu en dépit de l'absence de circulation, riant nerveusement, il repassait la frontière une vingtaine de kilomètres plus au nord, vers Wissembourg, et roulait toute la nuit jusqu'à C., parfois tranquillement et parfois à tombeau ouvert, sans musique ni pensées encombrantes, libre et heureux.

De ses virées il me rapportait souvent quelque chose d'insolite, une inscription en gothique qu'il avait prise sur une pierre tombale, une affiche de style Bauhaus qui lui avait plu, une branche de *Philadelphus*, que ma mère aimait tant, ou bien une friandise spéciale, achetée dans une station-service. On ne peut pas dire qu'il tirait beaucoup de bénéfice de ces vols, au début il n'avait pas de contact pour se procurer de fausses cartes grises et il ne pouvait se permettre de fourguer lui-même les voitures, et l'intermédiaire avec lequel il traitait était loin d'être généreux avec ce jeune homme à l'aspect doux et paisible, qui sortait d'on ne sait où et n'avait aucune relation. Mais Ké avait déjà son idée sur la question. Ce premier argent lui permit d'engager quelques hommes à peu près fiables et de ne pas faire lui-même certains voyages plus dangereux qu'il projetait, vers le sud de l'Espagne ou vers le Maroc. Je me rappelle qu'il faisait passer des entretiens d'embauche dans le petit parc derrière la maison de ses parents, au quartier, assis sur le dossier d'un banc ; la plupart du temps il ne regardait pas dans les yeux ceux qu'il cherchait à recruter et qui étaient parfois plus âgés et plus costauds que lui, se fiant sans doute au seul timbre de leurs voix, ou se contentant de jauger leur allure, ou alors misant sur leur réputation, il ne m'a jamais donné ses trucs. De toute façon, il se trompait rarement sur les gens.

Dans ce cas comme dans d'autres, dès que Kérim se trouvait au quartier, je passais mes journées à ses côtés, toussant à cause de la poussière soulevée par les enfants qui jouaient autour de nous et m'ennuyant ferme mais espérant, encore et toujours, un genre de bénéfice, moi aussi ; Kérim cependant ne me consultait jamais sur ses choix et ne m'adressait presque pas la parole, dans ces moments-là, ne faisant que regretter la verdure et la symétrie des parcs allemands, ou bien le manque de main-d'œuvre de qualité disponible à C. Pourtant j'appréciais sa compagnie à ce point, à l'époque, que je ne me demandais pas si c'était une bonne chose pour moi d'assister à la constitution d'un gang et de risquer à tout moment une arrestation qui aurait brisé le cœur de ma mère – moi c'était lui, et voilà tout. Et j'aurais tué, ajoutai-je pour les gens de l'ermitage, oui, j'aurais alors tué quiconque m'aurait affirmé le contraire. Mais, me demanda l'écrivaine, un peu sceptique (elle-même était habituée à utiliser dans ses écrits, à ce qu'elle disait, un style outrancier), ne couriez-vous pas de grands dangers tous les deux, à vouloir côtoyer ainsi une faune armée et cupide, une faune innombrable et dentée et impitoyable ? (elle ne dit pas *basanée*, mais tout le monde comprit *basanée*, bien qu'elle ne m'inclût pas, ni Ké, ni aucun de ceux qui se trouvaient présents dans le réfectoire, dans le groupe flou et menaçant des *basanés*). En tout cas, répondis-je en la fixant, jamais le comportement de Kérim ne m'alarma, et à ma connaissance sa famille ne se douta de rien, à part Gazi qui

123

fourrait son nez là où il ne fallait pas mais ne le dénonça jamais, de toute manière ses parents restaient, en toutes circonstances, fiers de lui, non pas, précisai-je, comme un père et une mère pouvaient l'être, mais comme deux supporters, et, en fin de compte, comme deux étrangers. Et non, je ne me sentis pas une seule fois en danger à ses côtés (il aurait fallu pour ça se poser la question du danger, alors que j'étais sûr d'avoir trouvé, pour moi, mon ange gardien), et, chaque jour ou presque, de la même façon peut-être qu'il arrivait à convaincre ses parents de l'innocence de sa réussite, son sourire et son calme que, jusqu'à récemment, je ne l'avais jamais vu perdre, désarmaient ma méfiance et me faisaient accroire qu'il avait abandonné ses trafics, ou était sur le point de le faire.

Et puis le fait est que, au fur et à mesure qu'approchait l'âge de notre majorité, et plus encore après, lorsque j'eus entrepris, au centre-ville de C., des études paresseuses d'informatique qui au moins me firent connaître un autre monde, d'autres gens et d'autres manières, sans le vouloir je frayai de moins en moins avec Kérim et, logiquement, je sus de moins en moins de choses sur ses activités. Il n'y avait pas eu entre nous de rupture bruyante et furieuse. Simplement, je dérivais loin de lui. Lorsque nous nous croisions, par hasard (nous mettions un point d'honneur à ne pas être celui qui sollicite l'autre en premier), nous ne parlions plus de lui intimement ou de ses affaires, d'une certaine manière je n'étais plus digne de confiance, et nous nous contentions d'échanger des banalités comme si, me disais-je avec irritation, le fait de ne plus passer tout mon temps avec Kérim, de ne pas gâcher tout mon temps avec lui, avait immédiatement entraîné mon déclassement – le passé, les mérites passés ne représentaient absolument rien à ses yeux.

Pour l'essentiel, à cette période, les nouvelles m'étaient données par le journal local, dans les pages duquel, régulièrement, figurait une photographie pixélisée de Kérim serrant la main de l'adjoint au maire, posant devant la vitrine d'un atelier qu'il avait repris ou d'une boutique de vêtements qu'il inaugurait et qui approvisionnait C. en marques et accessoires introuvables en France jusque-là, et même participant discrètement à quelques meetings de l'équipe sortante lors de la campagne pour les élections municipales. Il avait vingt-deux ans, et il était devenu un personnage à C., pas vraiment un notable, plutôt un des piliers sûrs de la notabilité, rendant des services inestimables et se chargeant, au travers de diverses sociétés qu'il avait créées ou rachetées, des besognes dont la ville ou le département ne voulaient plus entendre parler, faute de moyens ou de volonté politique, ramassage des ordures, transports scolaires, œuvres sociales. Que je sache, ni à cette période ni par la suite la question de l'origine de sa fortune ne fut posée, peut-être parce qu'il avait su rester raisonnable, à sa place, en quelque sorte. Et on supposa qu'il avait su déchiffrer les arcanes de la Bourse et des marchés, à l'exemple de ces jeunes spéculateurs américains qui, disait-on, réussissaient à gagner en quelques minutes sur internet des sommes indécentes, ou bien on pensait qu'il avait baigné un temps dans les milieux opaques de la finance, à Londres, à Singapour, où, contrairement à ce qui se passait en France, les enfants de l'immigration, comme on dit, étaient appréciés à leur juste valeur.

Il est certain que la majorité des gens à C. ne s'interrogeait pas, ou s'en fichait – l'opinion publique avait toujours fort à faire ailleurs. Et ce fut peu de temps après qu'on lui eut décerné une récompense, un prix quelconque pour son travail avec les jeunes du quartier qui, tous, à la lecture du compte rendu de la cérémonie honorant le citoyen soi-disant irréprochable, se mettaient à hurler de rire, que je m'engageai.

Un mois et demi passa, et, après quelques frayeurs, dont une alerte sérieuse concernant la formation d'un caillot dans le cerveau de Kérim à cause ou malgré des injections massives de corticoïdes, je ne sus jamais le fin mot de l'histoire, il devint clair que la greffe prenait, au-delà de toutes les espérances. À bout de forces, toujours à l'isolement, Ké se remettait lentement, nous assurait son père, certain que le plus dur était passé. Mais, à cette nouvelle qui nous prit de court et nous fit presque paniquer, inexplicablement, ayant par ailleurs tant et tant parlé de Kérim et revisité son existence de toutes les manières possibles, il nous parut soudain, à l'ermitage, et en dépit du fait qu'il semblait devoir survivre à une maladie formidable, que Ké n'était pas si extraordinaire que ça, en définitive. Ce n'était pas un demi-dieu quand même, il n'était pas si fabuleux, commença l'écrivaine, et pas supérieur à nous autres, renchérit le bûcheron, un soir d'orage où nous nous étions retrouvés sans avoir rien à nous dire. Ce n'était pas non plus un homme d'affaires très clairvoyant, osa à leur suite l'ancien marchand de vin, et il s'y connaissait, seulement un petit voyou qui contrairement à des milliers d'autres avait eu de la chance, une chance inouïe, quand on y songeait, c'était au fond un profiteur qui n'aidait les autres que par culpabilité (encore que chez Kérim, la culpabilité engendrée par ses actes fût depuis toujours, je le savais, bien moins forte que l'intérêt qu'il pouvait trouver à ces mêmes actes), telle nous paraissait désormais l'explication de sa charité. Tout à coup, il nous prenait l'envie de mordre la main qui nous nourrissait, alors que, jusqu'ici, aucun de nous n'avait osé médire, insinuer que Kérim nous trompait, et les épisodes de sa vie que nous avions partagés, parfois jusqu'à l'écœurement, finissaient tous sur une note admirable, émouvante – c'était là le problème. Si nous nous étions accrochés, en dépit des preuves nous indiquant le contraire, à notre vision idéalisée de Ké, c'est avant tout parce que c'était celle, biaisée et flatteuse, que nous avions de nous-mêmes et de notre propre jeunesse. Et peut-être n'avions-nous pas le droit, de toute façon, de juger ainsi une existence somme toute à peine entamée, miraculée, et comme blanchie par ce miracle, et de faire de notre ami un portrait semblable à ceux, nous suggéra le peintre, où la figure la plus gracieuse est enlaidie par un vert-de-gris ou un violet qui semblent des excentricités mais révèlent, en réalité, la vérité la mieux dissimulée du modèle.

Il est difficile de savoir si, condamnant Kérim aussi soudainement, nous faisions œuvre de salubrité, ou si, restaurant notre supériorité morale à peu de frais, nous ne valions finalement pas mieux que lui. Cependant, lorsque notre étrange rancune envers lui se fut un peu apaisée, rancune que, d'ailleurs, tous ne partageaient pas à l'ermitage, soit que, pour les parents de Kérim ou les deux poètes, il n'y ait rien à redire au comportement de Ké, soit que, pour celles qui avaient des vies difficiles comme Cat ou Ingrid, le pire était de condamner, en considérant seulement les faiblesses du corps et les parts sombres de l'esprit, une personne totalement et sa nature totalement et sans recours, nous regardâmes tout autour de nous et levâmes la tête pour voir, une fois de plus, le toit que Kérim avait fait bâtir pour nous. D'un accord muet, nous décidâmes d'en rester là, de ne plus parler de Kérim, en bien ou en mal, et de penser davantage à nous, en tant que communauté, à ce que nous allions devenir ; et personne ne songea à quitter l'ermitage, peut-être parce que, c'est à présent ce que j'aime penser, nous avions créé là entre nous, incidemment, sans y songer, en l'absence du propriétaire des lieux, des liens qui nous étaient devenus nécessaires.

4

Et un jour, on autorisa Kérim à quitter sa chambre stérile. J'ignore si, au moment de partir, il ressentit un peu de nostalgie à l'idée de ne plus jamais revenir là, dans ses meubles, à l'endroit où il avait été contraint de se faire un foyer, ou si sa façon de voir au contraire, son caractère qui le poussait à n'accorder d'importance qu'au présent, et le dégoût que lui inspirait cette chambre le firent déguerpir, tendu vers l'avant, les mâchoires crispées par l'effort, sans un regard en arrière. Mais j'imaginais le soulagement qu'il avait dû éprouver, en intégrant d'abord une maison de repos aux grandes verrières, très peu confinée, où il pourrait recouvrer des forces avant de rentrer définitivement chez lui, puis, au fur et à mesure que la vie, remplissant peu à peu le vide qu'avait laissé le mal, affluait de nouveau en lui, quel plaisir ce dut être de se promener à nouveau, parfois seul et muni d'une canne, d'autres fois accompagné par Oscar ou l'un de ses hommes, de plus en plus loin, trop loin peut-être au début, et combien l'air frais dut le surprendre, le piquer et l'assaillir et lui tirer de grosses larmes, lui faisant oublier un instant le désert qui avait précédé, l'enfer tout personnel, l'incitant à se redresser et lui donnant, le temps de quelques pas, l'allant d'un homme normal, d'un homme neuf, avant qu'une faiblesse dans l'une ou l'autre de ses jambes, le souffle court et une pointe au cœur, une migraine naissante et les aigreurs d'estomac le fassent flancher, lui rappelant ce qu'il était devenu, et de quel enfer il sortait.

Ce fut en pleine campagne, dans un parc broussailleux non loin de la maison de repos, que je le revis. J'avais été convoqué plutôt qu'invité, pour le dire en peu de mots, mais il ne m'importait pas de savoir d'où venait cette brusquerie soudaine, et la raison pour laquelle, peut-être parce que je n'avais pas tout tenté pour le voir en dépit des interdictions formelles des médecins, je méritais une telle brusquerie. Ces derniers temps, la mémoire des moments passés avec Kérim, récents ou plus anciens, m'avait complètement envahi, et j'avais l'impression de flotter, d'errer en attendant d'être sollicité par un autre de ces souvenirs qui semblaient éclairer les événements présents de leur propre lumière, une lumière de religiosité, une lumière de pacotille, mais une lumière vive tout de même. Quoi qu'il en soit, la journée était prometteuse, le soleil, doux et protecteur, ressemblait à une lune pleine, et je me réjouissais sans arrière-pensées de voir mon ami rétabli, peut-être guéri, pour la première fois depuis des semaines.

Je dois avouer que, s'il s'était trouvé seul, et non entouré d'Oscar et des siens, j'aurais difficilement distingué Kérim des autres convalescents, bien que leur apparence générale fût moins uniforme qu'à l'hôpital, et subtilement plus gaillarde, aucun d'entre eux n'avait osé passer à nouveau les vêtements coupés, siglés, soigneusement choisis et adaptés à leur morphologie d'avant la maladie, et risquer de frotter ces tissus passés, reflets d'une personnalité tout aussi passée, contre une chair ayant à grand-peine récupéré un peu de rose, un peu de rouge et un peu d'orange, considérablement amaigrie et irritable au plus haut point. La plupart de ceux qui avaient le droit, c'est-à-dire la possibilité physique, de sortir à leur convenance achetaient leurs vêtements dans un petit supermarché, distant de quelques kilomètres, dont le stock déjà restreint était pillé par les proches et amis de passage, sans souci de la mode ou de la coquetterie mais suivant des instructions précises quant à la taille, la matière et sa composition, la gamme de couleurs (noir, gris, blanc dans l'idéal, pas de vert ni de rouge), la présence ou non de lacets aux chaussures, et suivant les règles de la concurrence qui sévissait, à ce sujet comme pour déterminer qui réussissait le plus rapidement tel exercice de rééducation, entre les pensionnaires de la maison de repos. Ne sachant rien de ces règles, qui se révélèrent très différentes de celles du service d'hématologie, et ne connaissant pas davantage ses besoins réels, j'apportai à Kérim un recueil de Whitman que le poète Pacheco, en plus de ses amitiés pleines de courage et d'espérance, m'avait chargé de lui transmettre avant son départ trois jours auparavant, et plus exactement d'en extraire pour lui le poème commençant par les vers *This is thy hour O Soul, thy free flight into the wordless, Away from books, away from art*, vers qui, selon le camarade Pardo, de ce qu'on lui avait retranscrit de la situation présente de Ké, étaient tout à fait appropriés, mais que Kérim probablement ne lut pas ou, les yeux fatigués et l'esprit ailleurs, ne chercha pas à traduire exactement et dont il ne reparla jamais. Je lui fis également cadeau, de ma part et de celle de Cat, d'un keffieh à carrés noir et blanc, strié de kaki.

Pour cet achat, nous avions pris le risque avec Cat de nous rendre à C. en plein jour, comme deux amoureux, me dit-elle en chemin, et il me fut réellement impossible de savoir si elle plaisantait ou non. Nos visages étaient dissimulés derrière d'épaisses écharpes, et sous des bonnets redoublés de capuches que la tiédeur revenue rendait suspects, me semblait-il, particulièrement dans la boutique de fripes surchauffée où nous entrâmes en premier, et où, à la différence de Cat qui se sentit immédiatement à l'aise, je refusai de me découvrir, craignant d'être reconnu, à dix ans d'intervalle, par la vieille propriétaire, puis d'être interrogé. Et, tandis que je me tenais en retrait, le regard tourné vers la vitrine et l'extérieur sales, Cat avait pu choisir pour Kérim, sans mon aide et sans même me consulter, un cadeau qu'elle voulut payer intégralement, elle tenait à faire ce geste dans lequel elle parut mettre beaucoup d'elle-même. Jusqu'à présent, je ne m'étais pas demandé si Cat avait de l'argent… Elle sortit d'une poche située derrière sa ceinture un billet soigneusement plié puis le remit à la vieille avachie derrière sa caisse, comme atteinte d'une langueur particulière à C., ce qui, sans doute, l'empêcha d'utiliser les formules habituelles de politesse ou de nous dire au revoir – cette même langueur qui m'avait gagné et, une fois dehors, me fit prendre le paquet des mains de Cat sans un remerciement.

Kérim tenait le keffieh entre ses mains squelettiques, passant lentement son pouce sur les points grossiers et le tissu déjà effiloché sans cesser de me fixer, avec l'air de se demander ce qu'il allait bien pouvoir faire de moi. Près de lui, Oscar et ses deux hommes de main se parlaient à l'oreille en me regardant, hochant la tête et ricanant. Enfin, après quelques minutes interminables, ignorant l'hypocrisie sociale des gens bien portants, Kérim jeta le keffieh par terre et réclama mon bras pour se lever, puis, s'appuyant résolument sur moi, il me montra du bout de sa canne un sentier qui ne paraissait guère praticable, dans lequel il me força à m'engager.

Malgré l'extrême lenteur de Ké, nous ne fîmes que peu d'arrêts. Cet énième combat, consistant pour lui à avancer coûte que coûte, et, pour ma part, à ne pas montrer ma fatigue et à le soutenir sans le faire chuter (il me semblait très lourd, en dépit des apparences, comme s'il était seulement constitué d'os, ou plutôt d'un os unique), Kérim décida de le livrer avec moi. Tout à nos défis respectifs, haletant et peinant, nous évitâmes de parler pendant un moment. Nous avions, l'un comme l'autre, et sans trop savoir de quoi il s'agissait, des choses importantes à nous dire, qui semblaient réclamer une certaine préparation silencieuse. En attendant notre mise au point, je me demandai une nouvelle fois ce qui pouvait attacher à ce point Oscar, qui nous suivait à quelques mètres de distance, et tous ces hommes jeunes, forts et patibulaires à Kérim, quasi-vieillard flageolant et à bout de souffle, ce qui leur faisait supporter sans protestation les ordres passant la barrière des dents gâtées et portés par une haleine pestilentielle, et la raison énigmatique pour laquelle, au-delà de l'argent et des prébendes qui ne pouvaient tout expliquer, ils avaient juré fidélité à cette ombre. Mais je me gardais bien de répondre à cette question, parce que je n'osais admettre encore que le lien entre Oscar et Kérim pouvait être comparé au nôtre, je ne m'étais jamais fait payer ni n'avais payé Ké, pensai-je avec arrogance, ce qu'avec le recul on peut trouver bien naïf et bien bête, puisque, dans chaque amitié, on est amené de toute manière à donner quelque chose de nous-mêmes qu'on désirait garder, quelque chose de précieux que, par la suite, on ne récupère jamais.

Et puis une autre idée me frappa, comme nous abordions le premier tournant du sentier, qui me fit mettre ces réflexions de côté : auprès de Kérim, quels que soient son humeur ou son état, je me sentais bien, pas heureux non, mais tel qu'en moi-même enfin, c'est la formule qui me vint, j'étais amené à regarder toutes choses d'un œil nouveau, attentif et bienveillant. Ce que je ne parvenais pas à savoir, c'était si Ké éprouvait la même satisfaction à ma fréquentation, ou si, comme un maître, un guide spirituel ou un de ces saints martyrs dont il était friand, il acceptait de s'ennuyer et de déchoir, d'expliquer l'évidence, et peut-être de perdre son temps avec des êtres moins brillants qui, à mon exemple ou à celui d'Oscar, ne pourraient jamais rien lui apporter. De cela, il paraissait parfaitement conscient… Nous étions si différents… Nous n'aurions jamais dû nous rencontrer, et encore moins nous apprécier… Mais cette inquiétude même n'avait plus guère d'intérêt lorsque je me retrouvais avec lui, et, cet après-midi-là, sur notre mauvais chemin, ne fut pas différent. Après une demi-heure d'une progression difficile, pendant laquelle il manqua trois fois de tomber, Kérim s'arrêta et ne bougea plus, appuyé maintenant sur sa canne, faisant mine d'avoir aperçu une chose remarquable sur notre gauche. J'attendais qu'il parle le premier.

Je suis aveugle à présent, dit-il au bout de quelques instants d'une voix altérée, comme si elle avait stagné trop longtemps dans la boue de son esprit malade, d'une voix, me dis-je, qui ressemblait étonnamment à celle de son frère. Je regarde ces champs avec attention, poursuivit-il, pensant : Ce que je veux faire, c'est regarder ces champs, autant de temps qu'il faudra pour les voir, mais je ne les vois pas (de fait, Kérim portait de grosses lunettes noires d'aveugle). Les couleurs n'ont pas disparu, je les reconnais et je peux les nommer, un grand nombre, les formes m'apparaissent à peu près distinctement, aussi. Ce n'est pas physique : ces champs, je les regarde et les regarde, mais ils ne m'inspirent rien de particulier. Rien ne vient. Je n'arrive pas à en penser quelque chose. C'est quoi comme maladie, cette fois ? Je les regarde, je les vois pas. Comme si j'étais ailleurs. Tu me suis ? Tout le monde ne comprend pas. Les gens bien portants regardent un champ, et ils pensent aux récoltes à venir, aux serpents qui s'y cachent, ils les voient, ils se souviennent d'un film, d'une carte postale, ou d'une femme. Moi, quand je me concentre, tout ce qui me vient à l'esprit en regardant ces champs ce sont quelques mots, pas plus, un ou deux mots secs et puis c'est tout, là, même quand je te parle, je ne peux m'empêcher de penser au mot *bataille*. Je fais plus qu'y penser : je te parle, et pourtant il n'y a rien d'autre que ce mot dans ma tête. Idiot. C'est la maladie qui m'a rendu aveugle comme ça, je n'étais pas comme ça avant. Maintenant il ne reste plus que des mots dans ma tête, et encore d'une certaine sorte, et encore, pas énormément : *bataille*, *guerre*, *assaut*. Pourtant j'observe, je suis attentif comme jamais (tu sais de quoi je suis capable), je fixe ces champs, les arbres et j'aimerais pouvoir en dire quelque chose, n'importe quoi, que ça me parle et que je puisse en discuter et que ça sorte, parler de plantations, de l'acidité du sol, et même de pluviométrie, n'importe. Moi, c'est aux champs véritables que je veux penser, ceux des gens en bonne santé, les mêmes, les champs qui me font face, et pas à des mots qui leur sont vaguement associés. Au chemin que nous suivons, et pas au *sentier de la guerre*. Aux progrès accomplis petit à petit, et pas à la *guerre que j'ai déclarée à ma maladie*. Aux fleurs odorantes, aux chants d'oiseaux que je suis censé apprécier davantage maintenant que j'en ai réchappé, de justesse, non à des *chants guerriers* ou aux *attaques du pollen* contre mes bronches. Ces expressions m'encombrent, elles me hantent et je suis leur prisonnier, si tu me suis. D'ailleurs, j'en retire peu, péniblement, et souvent absolument rien. Quand même j'ai été forcé de me tourner vers ces mots, façon de parler, j'ai été obligé de m'en occuper parce que, deux ou trois semaines après mon entrée à l'hôpital, ils tournaient dans ma tête et ils étaient devenus les seules obsessions de ma pauvre tête (peut-être, je dis pas, ma forte fièvre a joué un rôle là-dedans). Mais pour en tirer quelque chose, pour utiliser à mon profit ces mots que je ne connaissais pas, qui ne me concernaient pas, qui me faisaient rire avant, il a fallu lutter, plutôt deux fois qu'une. Pour comprendre pourquoi je pensais cent fois, deux cents fois par jour au mot *bataille*, même dans un semi-coma, comme si c'étaient des pattes d'araignée baignées de blancheur (je ne sais pas dire autrement, me dit Kérim), il a fallu se battre. Il a fallu que je me renseigne et que je me fasse apporter des livres, par cartons entiers, comme tu sais les portables et les tablettes ne sont pas autorisés en chambre stérile et il a fallu que je lise vite, en cachette des infirmières, pour m'ôter ces mots de la tête il me fallait leur faire un sort allongé toute la journée sur le dos ou sur le flanc, pour leur donner un sens qui me convienne et me permette de les oublier il me fallait accepter de copuler avec eux, tu sais bien, pour les remplacer par d'autres qui me conviendraient mieux, et m'évader enfin de ma propre tête. C'était une de ces impulsions que je devais suivre sans rouspéter. Alors j'ai lu, autant qu'il m'était possible. Il m'a fallu parcourir plusieurs histoires de France complètes, ce qui, une fois l'habitude prise des mises en page se préoccupant peu du lecteur, fut assez agréable, mais pas du tout instructif, je n'y gagnais rien. Mais je me suis senti obligé de continuer mes lectures, de les prolonger, comme à l'école, pire qu'à l'école, j'avais pourtant en permanence des maux de tête et le ventre noué et des vertiges, mais il a fallu s'intéresser aux *campagnes de César*, toutes, à la *poliorcétique*, à *Azincourt* et à *Vauban*, à *Marengo*! J'en avais rien à foutre de *Marengo*, et me voilà tout de même incollable sur le sujet, parce que les différentes phases de cette bataille qui a deux cents ans, tu te rends compte, possèdent désormais ma tête en grande partie, parce que les mots que j'ai lus et qui la décrivent l'occupent en grande partie. Le résultat est que je pourrais t'en parler durant des heures (mais ça ne m'arrangerait pas et tu as déjà étudié ça de A à Z sûrement, pendant tes classes), de toutes les façons imaginables, je pourrais te causer des récits approximatifs qui suivirent et de la récupération politique par la propagande napoléonienne d'une victoire finalement peu claire, des sources que j'ai accumulées et croisées pour m'en faire une idée à peu près exacte, une idée de mots, je peux te décrire assez précisément *la plaine, la rivière Bromida serpentant dans le dos des Autrichiens, et la rivière Fontanone séparant les deux armées comme une frontière à ne pas franchir, à l'est, grandiose, se tenait Bonaparte, attendant comme toujours des renforts.* Je peux affirmer sans risque d'erreur que *la bataille commença au matin du 18 juin 1800 vers neuf heures, et dura jusqu'à la tombée de la nuit.* Je peux, sans aucun doute, à l'aide des mots les plus précis, me dit-il, (j'ai retracé vingt fois la bataille dans ses moindres détails sur un plateau de jeu, pour la bonne mesure), t'expliquer de quelle manière *les Autrichiens frappent les Français au centre,* dans un premier temps, puis comment *Desaix arrive, fixe l'ennemi et meurt,* tandis que *Kellermann et ses dragons contournent et enfoncent les Autrichiens à leur tour.* Mais, j'ai beau savoir tout ça, et imaginer les odeurs du carnage, *les cours d'eau charriant et mélangeant les morts français et les morts autrichiens,* j'ai beau savoir ce qu'étaient à cette époque un *grognard* et une *grisette,* le *bastringue* et les *lavandières,* j'ai beau connaître par cœur les chiffres qui font consensus parmi les historiens sur la part de soldats de la *Grande Armée* morts du typhus pendant la campagne de Russie, je n'ai rien pu en tirer. Pas ça. Et les mots sont restés, les mêmes, augmentés encore dans ma tête, si possible, disposés en carré et en quinconce : *GUERRE, BATAILLE, MALADIE, RUINES, DESTRUCTION.* J'ai essayé encore et encore de m'en débarrasser. Ça voulait dire se battre sur deux fronts ; ça voulait dire toujours plus de lecture. Je n'avais pas le choix. Il m'en fallait toujours plus. J'ai lu diverses histoires universelles de la guerre, et quelques études d'anthropologie sur la violence à travers les âges, avec des exemples choisis aux époques les plus variées et dans tous les pays, espérant trouver ma délivrance dans le récit de guerres plus exotiques, de l'épopée d'Alexandre aux guerres indiennes, ou plus actuelles. Mais qu'est-ce que j'avais à voir, me demanda Kérim, avec ces batailles *réelles* auxquelles je n'avais pas assisté, avec ces guerres *réelles* que je n'avais pas faites ? C'était bizarre cet amour soudain des soldats, et je pensais quelquefois à toi, avant même ton retour, seul dans ma chambre, comme si tu étais pour quelque chose dans cet amour soudain, l'unique soldat que je connaissais. Mais l'amour ne s'explique pas, me dit-il, et cet amour ne s'expliquait pas. Alors je me suis dit que peut-être, il y avait une philosophie là-dessous, il y avait des principes à tirer de toutes mes lectures, qui m'aideraient, je ne voyais pas bien comment mais bon. Et j'ai lu Clausewitz. J'ai lu Machiavel, seul dans ma chambre (et je pensais toujours à toi mais c'était d'une autre manière, puisque tu étais revenu pour me voir et que tu m'avais déjà rendu visite), à la faible lueur d'une lampe flexible et nettoyée chaque jour sans faute, suspendue au-dessus de mon lit. J'ai lu *L'Anabase* de Xénophon, dans deux traductions différentes, j'ai lu le *Traité des Cinq Roues* de Musashi, distrayant, mais moins que *La Pierre et le Sabre*, puis j'ai parcouru *L'Art de la guerre* de Sun Tzu, à la suite de quoi je suis resté stupéfait pendant de longs jours, frappé par la bêtise et l'inutilité de ses préceptes (mais peut-être la traduction n'était pas bonne). Et puis encore plus de littérature, et d'idées : le *centre* et la *périphérie*, l'*offensive décisive*, le *leurre* et l'*appât*, le *faux ami* et l'*ennemi implacable*, l'*espion* et l'*homme d'honneur*, l'*évitement* et le *coup au centre*, les *lignes de défense*, l'*attaque* et la *contre-attaque*, le *juste milieu*, l'*imagination* et la *rigueur*, de la littérature. Ça ne me touchait pas du tout. J'ai lu de nombreux traités de stratégie militaire, plus de cinq et moins de quinze, et je peux te détailler les objectifs de la campagne dans laquelle tu te trouvais engagé il y a peu, sans doute mieux que toi-même. J'ai fait l'acquisition de centaines de cartes et de plans, et j'ai eu l'impression pendant un temps que le monde reposait à côté de moi, à mon service, silencieux et discret. Mais les mots sont demeurés dans ma tête, quel entêtement, quel entêtement, entiers, inoxydables, blessants, à peine bousculés et rapetissés par les connaissances que j'accumulais, comme si ma mémoire malade et mon esprit malade ne connaissaient plus de limites. Et, tu me connais, je me suis dit qu'une vue d'état-major ne suffisait pas. Donc j'ai voulu approcher les horreurs de la guerre, quand tu as la nausée tu vomis un bon coup et en général ça va mieux, alors j'ai lu à la suite Dorgelès, Jünger, Hemingway, des extraits choisis de Grass, Balzac, Genevoix, et puis Bausch, Barbusse, Fournier, Malraux, Simon, Rilke, parfois sans rien comprendre, un livre entraînant le suivant, comme hypnotisé par ces pages que ma main tournait sans s'en rendre compte, jusqu'à ce que je n'aie plus rien à vomir, quoi. Mais je n'ai rien trouvé, rien ressenti, c'est un comble, la mort de masse, le dépassement de soi et l'héroïsme, des mots tout ça, les meilleurs qui soient d'accord, mais pas les miens.

C'est à ce moment-là que j'ai changé mon fusil d'épaule, en quelque sorte, j'avais envie de participer aussi, si tu vois ce que je veux dire (je me suis dit c'est ça, tu ne t'impliques pas assez), et j'ai dû me tourner vers les jeux de stratégie, les jeux de plateau. Ça n'a pas été commode. Je n'y connaissais rien. C'est une communauté fermée. J'ai envoyé Oscar aux quatre coins de la ville à la recherche de revues spécialisées (internet m'a bien manqué à cette occasion, comme tu t'en doutes), et même dans trois autres villes pour trouver un numéro spécial de *Conquêtes*. Un tout nouveau vocabulaire à maîtriser, beaucoup de termes obscurs, de l'eau dans le sable. Une fois cet apprentissage terminé, il m'a fallu trouver des adversaires. Personne n'acceptait de m'affronter (ou simplement de perdre son temps avec moi), alors j'ai tanné Oscar qui déteste les jeux presque autant que toi (je crois que j'ai beaucoup baissé dans son estime à partir de ce moment-là, me dit Kérim en grimaçant), et puis un infirmier a bien voulu jouer avec moi, il était très bon mais, évidemment, souvent débordé. Je ne t'ai rien demandé, considérant d'où tu sortais, je ne voulais pas que tu te forces pour me faire plaisir, et puis j'ai eu peur que tu te moques de moi, je l'avoue. J'ai joué aux wargames les plus divers, tant bien que mal parce que, malade, il n'est pas si facile que ça de redevenir un enfant, un enfant malade et enfermé, mais plutôt avec brio je dirais, la plupart du temps. J'ai rejoué plus de fois que je ne saurais compter les batailles de Marathon et de Stalingrad, de Guadalcanal, de Sedan, de Manassass (ma préférée), ou bien la guerre d'Indochine, multipliant les *si*, relançant et étirant mes nausées à force de conjectures et d'embranchements et d'arbres logiques, *soit soit, et si, et si*. J'ai joué pour jouer, presque chaque soir, seul le plus souvent ou contre un adversaire dont, relevant la tête, le visage me paraissait flou et encore plus solitaire, de temps à autre accablé par une intense rêverie pleine d'un sang de cinéma, de sabres et d'uniformes chatoyants, j'ai joué d'interminables parties pendant lesquelles mes obsessions de mots au moins devenaient transparentes, c'était ce qui leur arrivait, vraiment, dans ma tête, les mots étaient devenus transparents, et supportables, et je m'imaginais à Barcelone en trente-six, au métro Barbès en quarante et un, en Chine pendant la guerre des Boxers, ou expédié au Mexique sous l'empereur Maximilien puis revenu en France pendant la Commune, et toujours *soldat, bidasse, biffin*, bon pour la *rifle*, doté d'un sens extraordinaire de l'histoire qui me permettait de comprendre les événements et me donnait la possibilité d'en changer le cours, et je vengeais les Éthiopiens en trente-huit lors d'une campagne de reconquête fulgurante, et je faisais triompher partout les émeutes des années soixante, sans que jamais l'une ou l'autre de ces situations hypothétiques ne m'ait appris, une fois redescendu sur terre, à nouveau rempli de mes organes en souffrance et non plus de vapeur d'illusion, quoi que ce soit de valable. Par désespoir plus que par véritable envie je suis entré en contact avec une sorte de secte hongroise puis avec un millionnaire américain, pour lui racheter celui des trois exemplaires originaux du *Jeu de la guerre* réalisé par Debord, qu'il prétendait posséder, mais l'affaire ne s'est pas faite, de toute façon il en demandait trop, je ne suis tout de même pas si riche. À présent je suis fatigué, perpétuellement à mi-chemin de ma destination, on dirait, sans maison et sans abri et possédé par les mots, je n'arrive plus à lire depuis que je suis sorti de la clinique, je n'ai plus aucun courage, me confia Kérim. Depuis que je suis sorti, exposé, confronté à nouveau au Grand Jeu, je n'ai plus goût à rien et je n'ai plus de désirs. Je ne lis plus, ça me rappelle trop de choses, le simple fait d'ouvrir un livre me donne mal au cœur. Dans ma chambre, je tends la main vers l'ordinateur portable puis la retire, la tends puis la retire, patiente jusqu'au lendemain. J'attends. La *clé*, la *porte*, une *révélation*. J'attends d'être complètement remis, et je fais ce que je peux, des mots croisés, je feuillette des magazines. Mais, en vérité, je ne m'intéresse plus à grand-chose, sinon aux histoires que me racontent les gens. À toutes les histoires qu'on me raconte… qui passent… Toutes les histoires…

Kérim s'était tourné vers moi, Oscar et ses hommes s'étaient approchés, et tous attendaient de moi une réponse, si je puis dire, ma version des faits. Ce que je pensais de ce que m'avait déballé Ké, tout de suite. Et puis le récit, confidence pour confidence, des aléas de ma propre vie, loin de C., militaire, ce que je leur avais rapporté de l'Est comme vrai cadeau, à la façon d'un Roi mage, pas le keffieh mais le véritable présent, digne de Kérim. Mais je n'avais guère d'histoires édifiantes à leur raconter, plutôt ma présence tranquille et du temps, en plus de la patience dont, dès qu'il s'agissait de Kérim, j'étais abondamment pourvu ; je ne voyais pas de quelle façon lui faire comprendre et sentir ma guerre, comme si c'était une absurdité et une honte que je ne voulais imposer à personne. Qu'aurais-je pu en dire? Ceux qui ont des choses à dire ne parlent jamais : j'avais été élevé dans cette croyance. Et les dates m'échappaient, l'enchaînement des situations m'échappait. Je me souvenais surtout de la longueur des journées, et de mon ennui, de notre ennui commun et armé qui avait fini par former au-dessus du camp de base un orage qui nous suivait en tous lieux et assombrissait notre humeur commune. Je me souvenais surtout, pas en détail, des heures passées à épousseter les claviers pour en chasser poussière et grains de sable, à fixer mon écran et à bidouiller consoles et fils afin d'assurer la continuité des transmissions de l'unité. Et je me souvenais particulièrement d'une embuscade dans laquelle nous étions tombés lors d'une reconnaissance en blindé (mes cauchemars à ce sujet avaient recommencé depuis peu), nous avions dû nous aventurer hors du véhicule, mais, à moins de faire sentir à Kérim les odeurs fortes de l'acier chauffé par les impacts de balle et du caoutchouc brûlé, à moins de pouvoir mettre sur sa langue une ou deux gouttes de la potion brutale et amère de l'adrénaline, à moins d'incruster par chirurgie, dans son ventre, la peur de l'irrémédiable (dans ce genre de situation, pour résumer, les intestins fonctionnent indépendamment et marchent comme un seul homme), et la vue crue de la chair brûlée ou sanguinolente et la mort violente... Les mots, à moi, me manquaient... Se livrer, pérorer, révéler des choses sur soi... non non... Se retrouver pieds et poings liés parce qu'on en a trop dit, au lieu de laisser l'ami découvrir de lui-même notre mystère... non non...

Et puis, me dis-je en regardant une nouvelle fois sa figure émaciée, son front ridé, ses yeux alternativement éteints et brillants de manière menaçante, ses cheveux qui repoussaient par touffes, et ses lèvres fines et violacées qui commençaient à se pincer parce que je semblais décidé à ne pas ouvrir la bouche, parce que je ne disais pas ce qu'il voulait entendre, – qu'aurais-je pu lui apprendre qu'il ne savait déjà ?

Déçu, Kérim me renvoya d'un geste puis tourna les talons, et déjà les hommes d'Oscar, furieux, marchaient sur moi pour me donner une leçon. Mais Kérim les rappela pour l'aider à rentrer, et ils me laissèrent seul sur le sentier, et je fus à nouveau capable d'entendre la brise d'avril et je sentis à nouveau sur ma nuque le soleil d'avril, également désespérants.

5

Je me revois marcher vers l'arrêt de bus, filer d'un pas machinal et pressé que je ne parvenais pas à ralentir en dépit du fait que Kérim, me disais-je avec crainte, avec quelque plaisir aussi, devait certainement m'observer depuis la fenêtre de sa chambre. Mais je ne me rappelle pas ce que j'éprouvais, à ce moment-là. De la colère? Est-ce que je me sentais coupable? Est-ce que je pensais, une nouvelle fois, à repartir? Les blancs de la mémoire, il faut chercher plus profondément les traces qu'ils ont laissées, dans son propre corps. Et je me souviens suffisamment, encore aujourd'hui, des nœuds dans ma gorge, et de ma vue brouillée, pour savoir ce que pouvait être mon état d'esprit d'alors. Pendant le retour, je crois que je songeais à tout ce que je n'avais pas accompli, aux contours menaçants du continent formé par tout ce que je n'avais pas tenté pour m'en sortir et qui n'aurait rien à voir, ni de près ni de loin, avec Kérim ou avec l'armée – avec la personne que j'avais pu être dans le passé et toute cette merde. Puis, dans la montée vers l'ermitage je me mis à courir, ne pensant plus, c'est probable, qu'à parler de tout ça avec Cat.

Je la retrouvai assise sur les marches inégales et constamment glissantes de l'escalier qui menait à l'ermitage, là où, pour nous deux, tout avait commencé – pour moi c'était l'endroit où tout avait commencé. Je ne me lassais pas de la regarder. Elle avait anticipé le printemps qui n'était pas encore sérieux, sur notre hauteur, et avait découvert sa silhouette dont je pensais déjà tout connaître, à tort. À présent elle portait seulement, quelle que soit la température, d'amples chemises blanches que je lui avais dit apprécier et de simples collants dans lesquels elle devait souffrir de l'humidité, enfilait sans nécessité des vestes élégantes, qui me faisaient considérer avec une certaine honte ma mise d'ancien militaire. Son corps semblait depuis quelque temps, sans que j'en connaisse la raison, libéré d'une ou de plusieurs entraves et se mouvait gracieusement, bondissait à la première occasion. Lorsqu'elle me vit arriver, elle monta sans se presser l'escalier à ma rencontre, en baissant la tête, puis elle m'enlaça comme un de ses frères (elle en avait deux, plus âgés, avait-elle prétendu), revenu d'un long voyage.

Après des mois passés ensemble, tantôt proches et sur le point, me semblait-il à chaque fois, de tomber amoureux l'un de l'autre, tantôt séparés pendant des jours, constamment sollicités, chacun de notre côté, par les gens de l'ermitage, et redoutant qu'une passion égoïste soit vue d'un mauvais œil dans la communauté, je ne faisais toujours pas totalement confiance à Cat. Et, alors que je m'obligeais à ne pas fondre dans ses bras, il me traversa l'esprit qu'elle avait répété cet accueil plein d'effusion pour obtenir de moi des nouvelles de Kérim. Elle ne l'avait jamais rencontré et pourtant, même s'ils étaient, dans mon idée, les deux êtres les plus différents qu'il m'ait été donné de connaître, Cat s'était prise d'affection pour lui (elle m'avait écouté attentivement pendant nos nombreuses veillées et elle avait été impressionnée et fascinée, m'avait-elle affirmé, par tout ce que j'avais pu dire de sa vie, et aussi par notre relation qui avait traversé les années, avait ajouté Cat sur le ton du regret), en comparant les aléas de leurs deux existences que, pour une raison inexplicable, elle trouvait étonnamment semblables.

Tout s'est bien passé, me demanda-t-elle en laissant ses mains sur mes épaules, tu as été prudent? Pas d'ennuis? Souvent, je me demandais ce qui avait fait grandir entre nous, pratiquement sans nous et malgré nous, ce que je n'aurais pu appeler de l'amour (d'ailleurs j'ignorais ce que c'était l'amour, pour ma part je n'avais jamais connu l'amour), et que je n'arrivais pas à nommer, si c'était un effet logique de notre réclusion volontaire, si c'était mon amitié (j'allais dire ma faiblesse) pour Ké qui me valorisait aux yeux de Cat, amitié qu'elle semblait déterminée à gagner elle aussi, ou bien si c'était un de ces sentiments purs, un de ces sentiments authentiques qui vous tombent dessus après avoir crû dans le secret, à la faveur de la méconnaissance que nous entretenons de nos cœurs respectifs, puis éclos de façon surprenante, attachement dont la force et la santé lui permettraient de survivre partout ailleurs, et toujours. Ce n'était presque jamais la troisième hypothèse que je retenais. Néanmoins, je sentais naître entre Cat et moi quelque chose de profondément sincère et d'inaltérable, c'est-à-dire quelque chose qui ne dépendait pas des circonstances. Et puis, de plus en plus fréquemment sujet à de graves crises d'angoisse à mesure que la guérison de Kérim avançait et que mes pensées se tournaient davantage vers mon propre cas, j'avais besoin d'elle. Je m'étais confié à elle et, par bien des aspects, elle était désormais, plus que ma propre mère, plus que Kérim, la personne au monde qui en savait le plus sur moi et sur ce que j'avais fait là-bas, dans le désert changeant, parfois rocailleux et parfois vert, dont le nom commençait à s'effacer de mon souvenir.

Cat dormait à mes côtés chaque nuit. Lorsque je me mettais à hurler, repris sous le feu ennemi (rattrapé par le véritable ennemi, me disais-je, le passé qui se répétait à l'infini), ou bien appuyant une mince compresse sur le bras coupé du camarade Kateb (cette dernière scène, ou bien celle de l'embuscade, était la plus présente dans mes rêves), elle n'avait pas peur, m'assurait-elle après coup, et au lieu de s'enfermer dans la salle d'eau de notre étage, au bout du couloir, au lieu de cacher un couteau sous son oreiller au cas où j'aurais voulu la maltraiter (en une occasion, j'avais si violemment frappé sa cuisse que l'hématome mit environ trois semaines à se résorber complètement, mais son seul regret fut de ne pas avoir anticipé, en prêtant plus d'attention au degré de contraction de mon visage, mon coup de poing), au lieu de regagner sa cellule et de s'y enfermer, elle se redressait sur le lit, se penchait vers moi et me caressait les cheveux, ou tentait de m'étreindre. Ni la sueur abondante, ni la véritable transe dans laquelle me plongeaient mes cauchemars, ne lui répugnaient. Après un certain temps, me dit-elle au matin, une fois qu'elle me fit un récit détaillé de la nuit précédente, ayant pris l'habitude d'être réveillée en sursaut à une certaine heure, toujours la même, elle ouvrait les yeux juste avant mes premiers hurlements, et prenait les devants en plaçant sur mon front un gant humide et en me bordant de telle façon que les draps m'empêchent un moment de me débattre. Et, dans le ciel gris de mes mauvais rêves, qui n'étaient pas tant des rêves que le combat qui se représentait à moi, encore et encore, à vrai dire comme s'il devenait de plus en plus réel, il me semblait apercevoir de temps à autre comme une sorte d'aurore boréale, et sentir une brume apaisante, dont la luminosité et la fraîcheur parvenaient parfois à détourner mon attention des tableaux macabres auxquels je ne pouvais échapper.

Malgré la méfiance innée qu'elle éprouvait envers les hommes, malgré les traumatismes qu'elle avait subis et qui l'affectaient bien plus qu'elle ne voulait l'avouer, et en dépit de son mal de vivre, qui était au moins égal au mien, Cat avait décidé, une fois pour toutes, de m'adopter – je ne saurais mieux dire. Et moi, épuisé par mes nuits sans repos, obsédé pendant le jour par Kérim, la menace invisible des gendarmes et du sergent dont nous ne savions plus rien depuis que Ké m'avait dit à ce propos, quelques semaines auparavant, qu'il avait confié le travail à Oscar et que je pouvais par conséquent considérer l'affaire comme réglée, moi j'ai bien mal récompensé Cat de ses soins, c'est certain. Longtemps, j'ai cru que mes devoirs envers elle se limitaient à la garder en sécurité, ce qui n'était pas difficile dès lors qu'elle ne s'éloignait jamais de l'ermitage, et à lui faire l'amour autant de fois qu'elle le souhaitait (mais il n'était pas facile de déceler chez elle une envie, elle n'en disait jamais rien), et qu'il m'était physiquement possible, à la manière d'un amant de passage qui s'en va sitôt ses besoins assouvis, lui imposant les positions les plus improbables, les plus acrobatiques pour stimuler son imagination et, ce faisant, je m'en rends compte à présent, lui interdisant un autre rôle que celui de pute, ni plus ni moins, en même temps que j'annihilais le plaisir que nous aurions pu avoir ensemble, sans doute, le plaisir surhumain. Cependant, ignorant ces humiliations, plus le temps passait à l'ermitage plus Cat prenait plaisir à s'afficher publiquement avec moi, sous le regard d'abord bienveillant des autres (seule la petite sœur d'Oscar semblait mécontente, plus qu'à l'ordinaire), puis irrité, comme si nous possédions un bien que nous refusions de partager avec eux et qu'ils jalousaient.

Lui témoigner en retour, au su de tous, la même tendresse me paraissait inconcevable ; j'étais trop préoccupé par Kérim et par moi-même, me comportant somme toute avec Cat comme lui se comportait avec moi, en séducteur, trouvant plaisir à être avec elle quand je l'avais décidé, et quand j'en avais le temps, ni avant, ni après. Et, ne parvenant pas à m'abandonner à son affection pourtant constante et librement consentie, je ne pouvais m'enlever de l'idée que c'était ma proximité avec Kérim qui, en définitive, l'attirait, je la croyais toujours intéressée, par l'argent que je pourrais obtenir d'un homme fortuné, par la position que je pourrais obtenir si je restais dans ses bonnes grâces. Je me trompais. Si la peur du lendemain la faisait souvent agir contre ses principes, et parfois même contre sa propre volonté, Cat se fichait de l'argent, et surtout du pouvoir qu'il procurait : elle restait, par-dessus tout, une vagabonde, elle refusait d'être contrainte ou retenue. Et si l'on admettait que ses décisions ne se fondaient sur aucune logique apparente en dehors de sa soif d'indépendance (cette soif l'avait amenée, suivant un raisonnement tordu qui n'appartenait qu'à elle, à se prostituer, et plus d'une fois à se mettre en danger), et que, dès qu'elle s'était lassée de quelque chose, il était impossible de la faire changer d'avis, elle était la meilleure des compagnes, jusque dans ses accès de mélancolie, la plus vivante, c'est-à-dire la plus déchirée.

Je crois que, pour Cat, je le saisis un peu tard, Kérim était l'équivalent d'une célébrité inaccessible dont on prend des nouvelles de temps en temps, parce que l'être aimé a pour cette figure lointaine une inclination particulière. Ou bien il ressemblait pour elle au bon Samaritain des histoires, dont, petite fille déjà, les motivations et l'arrogance lui avaient toujours paru suspectes. Elle admirait Ké, à sa manière, mais, face à lui, elle n'aurait su quoi dire, moins intimidée qu'indifférente, et soucieuse de traiter chacun également, et même, elle lui aurait sans doute reproché de ne pas faire assez pour nous, avec les moyens dont il disposait. Peut-être l'aurait-elle provoqué en prime, traité de sale cancéreux et moqué de ne pouvoir se mouvoir plus vite, pour lui faire payer ses bienfaits dont il usait si frivolement et qui, d'après Cat, ne lui coûtaient pas grand-chose – l'hébergement, sa protection. Oui, je suis persuadé maintenant qu'elle aurait fait preuve d'une bravoure dont je me savais dépourvu, qui consiste à rabaisser quiconque se croit supérieur, elle était brave, plus brave que moi. Le danger, les menaces ne lui importaient pas, pour autant qu'elle ne se sentait pas abandonnée, et seule, sans l'avoir désiré. Elle ne restait pas avec moi par dépit comme je l'avais cru, mais bien volontairement, et absolument, si l'on peut dire, avec toute la bonne volonté de ses pensées, et, prévoyait-elle, alors même que, affligée d'un naturel pessimiste, elle était convaincue que sous peu les gendarmes me mettraient la main dessus et que le sergent réapparaîtrait puis, sans violence, la persuaderait de le suivre, elle resterait à mes côtés pour affronter le pire.

Si Cat imaginait fréquemment la catastrophe au bout de notre relation (et de son point de vue, c'était malheureusement de cette façon que chaque relation devait finir), elle semblait pourtant rechercher et apprécier chaque moment que nous passions ensemble, peut-être, justement, parce qu'elle les pensait comptés. Et moi, avec Cat, je progressais ; j'avançais avec elle sans connaître notre but, participant comme je pouvais au mouvement que je discernais autour de moi. Avec elle, j'avais surmonté ma peur irrationnelle de me montrer sur le plateau, à découvert, pensais-je avec terreur, ou d'atteindre le sommet de la montagne, dont l'emplacement était marqué par une grande croix visible depuis tout C. Avec elle, je pouvais marcher pendant de longues heures, à l'abri des regards curieux, la tenant par la taille et recherchant sa chaleur, et, régulièrement, la traînée de parfum que laissaient ses longs cheveux, sous nos pieds les tapis d'aiguilles sèches craquaient comme les cimes des sapins sous le pas du dégel. Et lorsque, parvenus à la croix, nous contemplions de notre saine altitude la petite ville de C., sa forme et ses limites, plus proche du ciel et comme plus près de moi-même, plus lucide, Kérim et les guerres qu'il livrait et toutes les guerres et ceux qui les voulaient et ceux qui les faisaient me semblaient tout à coup bien lointains, et mon amour naissant pour Cat, qu'est-ce que ça aurait pu être d'autre, et ses yeux marron plantés dans les miens, bien réels.

Peu de temps après mon entrevue douloureuse avec Kérim, je craquai complètement. Comme je m'y attendais, Kérim ne me demanda plus de venir. Cette fois, quelque chose semblait définitivement brisé entre nous, il était inutile désormais d'aller lui servir mes récits de guerre ou n'importe quelle autre histoire qui pourrait l'adoucir (pour peu que j'en sois capable), et m'apporter son pardon. Et je ne pus éviter, en fin de compte, de fondre dans les bras de Cat. Épave, je me raccrochai à elle, je cédai tout à coup, quand bien même je n'avais plus beaucoup de désir en moi hormis celui de m'en tirer, je me livrai à l'attirance ambiguë que je gardais pour elle et que nos nuits de souffrance commune n'avaient pas réussi à étrangler. Pendant quelques jours trop courts, nous passâmes chaque minute de notre temps ensemble, même si, à l'ermitage, nos relations avec les autres pensionnaires devinrent plus difficiles, à mesure que je m'absorbais tout entier dans Cat, si je puis dire. Nous essuyâmes, Cat et moi, un grand nombre de reproches. La plupart de nos amis auraient souhaité prendre une part active dans notre relation, ils étaient scandalisés et surpris, autant que moi je pouvais l'être lorsque, de temps à autre, je sortais de mon hébétude, ils auraient souhaité, nous dirent-ils, pouvoir discuter avec nous de l'opportunité d'un tel débordement, d'un tel étalage sentimental, alors qu'un grand nombre d'entre eux se sentaient seuls, malgré l'entraide constante et une grande solidarité, seuls durant la nuit et terriblement seuls, pendant chaque creux de leurs journées qu'ils remplissaient pourtant avec ferveur, de discussions, de réunions sans fin, de travaux. Notre amour bizarre, sans pudeur, qui ressemblait à celui d'un malade pour son infirmière et d'une infirmière pour son malade, menaçait à terme l'équilibre de la communauté qui s'était formée au prix de tant d'efforts et de sacrifices, fut-il suggéré, mais, pour ma part, je ne me rappelais pas ces sacrifices et ces efforts. Il n'y eut pas de procès à proprement parler, on ne nous força pas à comparaître, ce que, contrairement à Cat qui enrageait, je n'aurais pas trouvé anormal, j'avais l'habitude que les problèmes les plus intimes soient pris en charge par les plus hautes autorités, en l'occurrence un conseil de l'ermitage avait été créé quelques semaines auparavant, essentiellement pour régler les questions pratiques, qui aurait pu jouer ce rôle. Et, faute de jugement clair sur notre situation, il arriva simplement que nos relations avec ceux et celles qui étaient les plus impliqués dans la vie de l'ermitage cessèrent brusquement, tandis que les parents de Ké et ceux d'Oscar (son père sans aucun doute, la mère était plus louvoyante), ainsi que le retraité Henri et le poète mexicain Vargas qui s'apprêtait à nous quitter pour rejoindre son ami Pardo en Italie, nous soutenaient discrètement, tout en évitant d'affronter inutilement les autres à ce sujet. Après dix jours d'une étrange romance qui furent les plus effrayants et les plus beaux de ma vie et qui me permirent, pour une fois, de connaître un repos relatif, si ce n'est le retrait des affaires du monde dont parlaient souvent les deux poètes, Cat et moi ne parlions plus guère qu'entre nous. Et, une nuit, mes cauchemars qui avaient semblé perdre de leur force reprirent, comme décuplés.

Ce fut Henri, mis au courant par Cat de mes problèmes et de l'impossibilité dans laquelle j'étais de me rendre à C. pour y suivre un traitement classique, qui me proposa des séances assez rapprochées et intenses d'hypnose suggestive afin d'atténuer les effets de ce qui ne pouvait être d'après lui, dans ma torpeur j'étais certain qu'il voyait juste, qu'un stress post-traumatique. Je ne sais si l'hypnose fonctionna, Henri semblait compétent mais j'avais bien du mal à dépasser mon scepticisme, ou si ce fut plutôt l'examen poussé de mes symptômes puis de la source de mes symptômes avec Henri, au cours de longues discussions qui précédaient et suivaient chaque séance, qui m'aida à surmonter ma souffrance et ma honte de souffrir, et le sentiment que j'éprouvais constamment, sans vraiment m'en rendre compte, me dit Henri, d'avoir abandonné mes camarades restés en opération ; toujours est-il que l'intensité de mes cauchemars diminua nettement, et que mes nerfs connurent un répit inédit, qui me laissa exsangue.

Dans mon état, je ne pensais plus à Kérim, tout juste à moi. Cat était devenu mon monde. Cependant il fut annoncé à l'ermitage, comme une nouvelle de première importance, environ un mois après que je l'avais vu pour la dernière fois, que Kérim s'apprêtait à quitter la maison de repos pour venir s'installer parmi nous. Cela signifiait, il me semblait, je n'en étais pas sûr, que je devais partir. Mais, la veille de son arrivée prévue, comme j'expérimentais de vivre quelques heures par jour sans aucune tension, à l'état de loque, je ne savais toujours pas ce que je devais faire ; j'étais incapable de décider quoi que ce soit. Ce fut ce jour-là que le sergent réapparut. Il se présenta à l'ermitage un matin, très tôt. Cat dormait encore, la cour était déserte, et ce fut moi qui le vis en premier. Du reste il ne donnait pas l'impression de se cacher, au contraire. Il s'était arrêté au pied de l'escalier, à quelque cinquante mètres de moi, et me fixait, mains dans les poches et jambes écartées. Puis, quand il fut certain d'avoir été correctement identifié, il leva un bras pour me faire signe, comme si nous nous retrouvions par hasard dans une rue passante, et se dirigea vers moi, traversant tranquillement la cour en regardant tout autour de lui, l'air impressionné. Après s'être planté devant moi, très près de moi, il me donna tout de suite ses premières impressions : il est bien beau, votre refuge, mais perché et isolé, et je comprends maintenant que j'aurais pu chercher Lily toute ma vie sans jamais la retrouver. Mais elle s'appelle Cat, maintenant, pas vrai ? Eh bien, c'est joli aussi. J'étais pétrifié, ou, plus exactement, parce que la stupeur dans laquelle me plongeaient les médicaments qu'Henri me donnait était plus forte que ma peur, engourdi, la paire de collants que je devais étendre sur une corde à linge de fortune était restée entre mes poings serrés, et l'eau de lessive dégoulinait sur mes chaussures et trempait mon pantalon. De son côté, ayant cessé de regarder partout autour de lui en poussant des cris d'admiration, le sergent se mit à me jauger rapidement, des pieds à la tête. Puis, avec des gestes vifs pour un homme de son âge et de sa corpulence, mais ceci au moins ne m'étonna pas, il me prit les collants des mains, me repoussa avec tact, et finit de pendre le linge – de ma place, c'était ma place et je ne pouvais en bouger, je voyais ses gros doigts aux ongles rongés extraire les culottes de Cat de la bassine, secouer avec habileté les chemises de Cat et les jupes de Cat, puis les étendre soigneusement. Voilà, dit-il en reculant pour juger de son travail. Puis, se tournant vers moi et m'empêchant de ramasser la bassine : dites, vous n'auriez pas du café ? Et quelque chose de plus fort ? Est-ce que Lily est dans le coin ?

Je faisais peine à voir, j'en étais conscient, assis dans la cuisine, flasque et trempé de sueur froide, face au sergent qui ne me lâchait pas des yeux. Il n'avait pas l'air remonté contre moi, ou déçu, plutôt amusé. Cat que j'avais fait chercher se montrait hautaine au contraire, ni surprise ni affolée, elle s'était placée derrière ma chaise puis avait passé ses bras autour de mon cou, et, immobile et tenace dans cette position inconfortable, me montrait son soutien comme si, dans cette histoire, c'était moi qui risquais le plus. Aucun de ceux qui s'étaient dits, à un moment ou un autre, nos camarades, et qui s'étaient mis à passer et repasser dans la cuisine pour prendre leur petit-déjeuner, ne s'inquiéta de notre sort ou de l'identité de l'homme qui nous faisait face et qu'ils n'avaient jamais vu, alors même que les visiteurs étaient rares à l'ermitage, et recherchés pour les nouvelles qu'ils étaient susceptibles d'apporter (nous refusions collectivement de regarder la télévision), ils nous laissaient, suffisamment pris par leurs occupations, à notre amour exclusif et à nos cachotteries et à nos messes basses. Recroquevillé sur sa tasse, le sergent dégustait avec un air d'indicible satisfaction son café allongé au bourbon. Il donnait l'impression de ne pas s'être lavé depuis des mois, bien que, d'une certaine manière, on pouvait dire que son aspect était soigné, par exemple il ne sentait pas mauvais du tout, et pourtant, quelque chose dans son apparence demeurait hideux, prêt à vous sauter à la gorge, c'était ce que j'aurais dit.

Son café enfin avalé, toujours souriant, il entreprit de nous parler de notre situation, d'après lui intenable. Il était là pour nous aider, nous dit-il, les paumes de ses mains tournées vers nous en signe de bonne volonté. Nous aider à prendre la bonne décision, c'était primordial. Inutile de le remercier. Il n'y avait pas de raison que les choses se passent mal, ajouta-t-il, il n'y en a jamais, au début, le malheur est toujours causé par l'entêtement des gens qui méconnaissent les règles, et leurs propres limites. C'est ainsi au combat, vous le savez parfaitement. De même, au jeu. De même, dans la vie, en général. De même, pour l'amour. Je suis là parce que je tiens à vous deux. Davantage à Lily, je ne le nie pas. Cat. En tout cas, je ne suis pas là pour moi. Et le sergent nous parla de morale. Il ne pouvait que déplorer, en tant qu'ancien militaire, et bien qu'affligé de sentiments plus qu'équivoques envers l'armée, que je n'aie pas regagné mon unité déjà. Mon attitude ne pouvait être encouragée. Et la France, me demanda-t-il en fronçant les sourcils et en baissant le menton. Et vos frères d'armes ? Vous ne pouvez rester ici sans travailler, sans rôle à jouer, éternellement aux crochets d'un riche propriétaire (vous voyez ce que je veux dire), qui demain peut-être sera lassé de vous héberger et de vous protéger, après-demain. Tenez, prenez l'homme qu'il m'a envoyé pour… À vrai dire je ne suis pas tout à fait sûr de la raison pour laquelle cet Oscar, quel nom ridicule, est venu me trouver, voici quelques jours, mais disons que cet homme ne semble pas vous apprécier, d'ailleurs il m'a donné sans que je lui aie rien demandé votre adresse et quantité d'autres renseignements personnels. Et je ne suis pas certain non plus que ce Kérim (prononçant son nom le sergent eut une moue terrible de dégoût), pas sûr qu'il vous porte dans son cœur non plus. Vous avez des projets? Avez-vous de l'argent? J'ai appris (bien malgré moi) que votre mère habite en ville, mais, à son âge, aller vivre chez elle ne paraît pas constituer une solution de long terme. Non, croyez-moi, il vaut mieux pour l'instant que chacun retourne aux siens. J'ai mis un peu d'argent de côté, dit-il en frottant un des boutons brillants de son manteau, j'ai été économe, en dépit des apparences, Lily le sait bien, je tiens à elle, ma petite nous partirons dans un endroit chaud, et tu n'auras pas à travailler. Là, tu feras comme tu l'entends. Cat. Si tu veux, tu seras comme ma fille. Et si tu veux, ma Lily, tu l'attendras. Mais il doit faire son temps, c'est comme ça, il ne sert à rien de s'entêter. C'est mieux, c'est préférable pour vous deux. Vous êtes jeunes. Il ne faut pas vous montrer entêtés, non, dit-il en se levant sans attendre de réponse, dans mon dos je sentis Cat se raidir, elle était sur le point de hurler, l'entêtement serait la pire des choses, murmura-t-il encore, puis il s'étira comme si, fourbu, il n'avait pas dormi depuis plusieurs jours, émit un râle de satisfaction et, soudain, il se tassa sur lui-même, baissa la tête et s'en alla à grandes enjambées.

Le reste de la journée et la nuit furent une torture. C'était comme si la voix du sergent était restée auprès de moi et me parlait sans discontinuer, versait dans mon oreille ses idées sur le devoir, la faute et le châtiment – *tu as tout ce que tu mérites*. Pour ajouter à ma panique, il me fut impossible d'évoquer la situation avec Cat, qui s'enferma dans sa cellule juste après le départ du sergent, et nous demeurâmes ainsi, anxieux et désemparés, chacun de notre côté (avec quelle facilité l'amour qui semble le plus installé peut se volatiliser en un instant), Cat était un peu moins anxieuse que moi, peut-être, peut-être la perspective de me quitter pour le sergent ne lui déplaisait pas totalement – voilà tout ce que je parvenais à penser. Incapable de réfléchir et encore plus de réagir, je me contentai d'attendre le retour de Kérim, ne sachant trop s'il fallait réclamer son aide ou bien le confronter et lui demander des explications sur la faillite d'Oscar, qui était aussi la sienne, je ne fis qu'attendre, comme on attend une apparition, comme je l'avais toujours fait, en définitive, attendre que tout s'arrange sans moi. Dans l'après-midi, j'appris que Kérim ne rejoindrait l'ermitage qu'en fin de journée, mais aussi qu'une fête était prévue en son honneur le soir même, fête dont Xavier refusa de me donner le détail, se contentant de me demander avec perfidie si, à tout hasard, j'avais du temps maintenant, pour aider à tout préparer.

À vingt heures, Kérim n'avait toujours pas paru. Je n'osais frapper à la porte de Cat, je ne savais même pas si elle était encore là, si elle avait fui ; je me contentais de guetter la venue de mon sauveur personnel, certainement il en serait toujours ainsi, des mouvements dans le soir, une simple silhouette, j'étais exaspéré par son retard. Pour lui, on avait rallumé les deux projecteurs. Depuis le haut des escaliers jusqu'à l'entrée de l'ancien hôtel, des centaines de bougies de différentes tailles, pour la plupart dérobées dans des églises, jalonnaient un chemin de lumière facile à suivre qui, dans une obscurité presque totale et en l'absence de tapis rouge, permettrait aux invités de la soirée de s'orienter, et, sans doute, éviteraient que de nombreux hôtes de marque qui venaient à contrecœur, déjà éprouvés par leur marche à tâtons sur le sentier étroit et piégeux qui menait à l'ermitage, ne s'en retournent immédiatement. Peut-être aussi, craignant de déplaire à Kérim, seraient-ils de toute manière allés jusqu'au bout, se tordant les chevilles et salissant leurs chaussures pour arriver, finalement sains et saufs, dans la cour qu'ils trouveraient absolument charmante, accueillis qui plus est par des lampions colorés dont on avait couvert la façade de l'ancien hôtel et qu'on espérait visibles jusqu'en bas, à C. et au-delà, afin que, s'était justifié le comité organisateur de la fête, la joie que chacun éprouvait ici à retrouver Kérim San en bonne santé soit de notoriété publique.

À l'intérieur du réfectoire, où le chauffage, non sans mal, avait été rallumé, une foule importante patientait, à peu près divisée en deux groupes égaux qui s'ignoraient mais donnaient à voir, séparément, les deux grands âges de l'existence de Kérim, d'une part le moment des ambitions sociales et de la recherche éperdue de respectabilité, représenté par les nombreux médecins présents, les célèbres sportifs originaires de C., les hommes d'affaires et quelques politiciens, étonnés par le décor et soupçonneux, jetant de temps à autre des regards noirs en direction de leurs secrétaires, passant des appels courroucés aux agents qui leur avaient assuré que leur présence était indispensable. Mais, en dépit des inimitiés et des haines recuites qui les opposaient, ceux-là se savaient appartenir à la même société, particulièrement dans ce cadre indigent, et, serrant leurs rangs, formaient un cercle presque infranchissable. De l'autre côté du réfectoire se tenaient ceux qui pouvaient symboliser le dernier âge de Kérim, davantage marqué par l'idéalisme, un idéalisme maladif, et qui, en majorité, habitaient l'ermitage ou espéraient s'y installer un jour, masse profuse, aussi dispersée que l'autre était compacte, pleine d'enthousiasme – la plupart ne connaissaient même pas Kérim et comptaient seulement l'approcher, mettre un visage sur un nom, tandis que quelques-uns espéraient follement, une fois devant lui, surmonter leur timidité et lier connaissance. À ce groupe s'étaient mêlés, visibles comme le nez au milieu de la figure, ou peut-être davantage comme une bouche au milieu de la figure, quelques individus louches qu'on n'avait pourtant pas invités parce qu'on savait qu'ils se tiendraient mal, ou, plus simplement, parce que Kérim les avait complètement oubliés et n'avait jamais parlé d'eux à personne, eux qui, je le savais, l'avaient très bien connu, par certains aspects, à une certaine époque, et qui s'extirpaient à présent de cette zone floue de la mémoire de Kérim, de ce passé qui se rappelait à lui quoi qu'il fasse et que même la plus grave des maladies n'avait pu oblitérer. Ils n'avaient pas tellement l'air revanchard, ils étaient amers. Quant à moi, je ne savais où me situer, j'avais des amis de chaque côté, et j'avais des ennemis de chaque côté. Tandis que j'hésitais sur la conduite à tenir, dans la foule des anciens délinquants ou des notables quelqu'un peut-être pourrait me donner un conseil utile, et pourquoi pas me venir en aide, j'aperçus le sergent.

Je me mis à trembler. Pourtant, il n'était pas difficile de l'éviter. Il restait devant le buffet, mangeant et buvant sans cesse, et tournait résolument le dos au reste des invités. Je crois que Cat, hagarde, ne le vit même pas. Elle m'avait rejoint tard. Elle avait une mine épouvantable, dévastée, comme si son visage s'était proprement effondré pendant un sommeil drogué ou après avoir débattu longtemps avec elle-même, et elle s'accrochait à mon bras comme si elle redoutait d'être emmenée à l'instant – comme si elle était devenue à son tour la malade dont il fallait s'occuper, elle se fiait à moi, maintenant, comptait sur moi.

Enfin, vers vingt-trois heures, au moment où la multitude d'avocats présents désespéraient de jamais attirer comme client l'un des meilleurs partis de C., au moment où je m'apprêtais moi-même à partir avec Cat, à l'aventure tant pis, Kérim fit son apparition. Il ne semblait pas s'être habillé pour l'occasion, et son survêtement émeraude, qui plus est de marque non identifiable, jurait au milieu des costumes et des robes de soirée. Mais je le connaissais, et, parce que cet instant était, en fin de compte, l'aboutissement de sa vie, parce qu'il avait tellement rêvé de cette soirée où il serait, même provisoirement, l'unique centre d'attention de la bonne et de la moins bonne société, il avait probablement préparé soigneusement son entrée, il s'était préparé à triompher, à sa manière, sans rien concéder aux normes et aux habitudes de ceux qui l'avaient si longtemps méprisé, réussissant même, en s'habillant comme l'as de pique, à se moquer des efforts vestimentaires des uns pauvres et des autres pontes, du chef de clinique en nœud papillon qui s'était déplacé spécialement alors même qu'il n'avait visité qu'une fois Kérim, en tout et pour tout, pendant son temps d'hôpital, se moquant cruellement du retraité Henri qui avait passé ses derniers habits présentables ou du peintre qui s'était rasé pour l'occasion et que je vis, comme s'il se sentait floué au moment où Kérim se montra, écraser et jeter avec colère le gobelet plein de vin qu'il tenait à la main. Cependant il ne se trouva personne pour se plaindre ouvertement, après tout Kérim sortait tout juste d'une leucémie (ce mot était sur toutes les lèvres), et le soulagement dominait, la fête pouvait commencer, aussi, après quelques secondes de gêne un hourra fut lancé et repris par l'ensemble des invités à trois reprises, puis se résolut en un tonnerre d'applaudissements. Il avait réussi, me dis-je, il avait réussi : de part et d'autre, s'ouvrant comme une mer pour lui laisser le passage, une société plurielle et unie dans son culte le célébrait.

De l'endroit où nous nous trouvions, vers le fond de la salle, surveillant d'un œil le sergent qui ne prêtait aucune attention à la scène, je n'aurais su dire si Ké, fendant lentement la foule au bras de son père, le pas assuré mais toujours un peu traînant (pour cela aussi, se tenir droit, malgré les ponctions lombaires, marcher normalement, ou faire croire qu'il en était capable, il avait dû s'entraîner d'arrache-pied en prévision de ce soir), dissimulait la satisfaction qu'il éprouvait à nous voir quêter un regard ou une accolade, royal, en définitive, c'est-à-dire refusant de nous livrer son sentiment à propos de notre présence, s'il était indifférent, ou ému, ou bien irrité qu'on lui impose de telles mondanités pendant sa convalescence. Son visage demeura impénétrable, tout le temps qu'il dut recevoir les félicitations et les encouragements de chacun – une queue partant du siège où il avait fini par s'asseoir s'était formée, à laquelle je refusais de participer, et je pus l'observer à mon aise. Kérim avait fait couper la mauvaise repousse de ses cheveux et son crâne brillait, ainsi que ses ongles, comme s'ils étaient vernis, il avait laissé pousser sa barbe pendant quelques jours, passé, juste avant de venir, du fond de teint sur ses joues et sur son front, enfin il avait enfilé sa montre favorite qu'on lui avait interdit de porter en chambre stérile et qui pendait à son poignet ; il s'était pomponné, en dépit de l'impression qu'il voulait donner. Et sans doute les marques de considération qu'il reçut pendant près de deux heures et dont il ne laissa pas voir une fois, par un sourire ou par un geste, qu'elles lui procuraient le moindre plaisir, sans doute ces marques de respect lui étaient, au fond, aussi essentielles que le repos et la tranquillité qu'il espérait trouver en se retirant à l'ermitage, matérialisant pour un bref moment le piédestal sur lequel il se plaçait depuis toujours, au-dessus de tous, de moi, au-dessus de sa maladie et des accidents de la nature, seul, et invaincu. Et, à minuit, à la façon de la belle et bonne personne d'un conte, tandis que des accords de guitare et la voix du père d'Oscar commençaient à se faire entendre, Kérim, repu, se retira, traversa la cour sans aide et pénétra l'ermitage, comme, me dis-je sans réfléchir, pour y dissimuler sa pauvreté d'âme et sa laideur.

Je le suivis, tenant par la main Cat que je forçai à m'accompagner, et nous rejoignîmes Kérim dans une cellule inoccupée, assis sur le lit, voûté, les yeux levés vers la fenêtre comme si son imagination, la part enchantée de lui-même que j'adorais depuis toujours, était occupée à construire l'échelle d'argent qui pourrait le mener au quartier de lune qu'on voyait s'extirper de la masse sombre des forêts et percer les nuages. À la vue de cet homme qu'enfin il me sembla retrouver, à son sommet ou à son plus bas il ne m'appartenait pas de le dire, son visage à nouveau jeune dans la clarté de lune, sous l'influence magique de la lune qui s'était emparée de lui et, après avoir opéré subtilement, faisait monter vers elle tous ses maux, à la vue de cet ami qui s'abandonnait, pendant un instant, pour s'accorder au temps et aux choses tels qu'ils étaient et non tels qu'il les désirait, mon orgueil tomba, et la peur de me livrer aussi, de ne pas être à la hauteur, disparut d'un coup. Il était un prince pour moi, me dis-je, exactement, mon prince, quoi qu'il pût faire ou dire, je n'y pouvais rien. Entrant dans la pièce comme dans un songe, comme si je pénétrais en fait l'espérance de Ké devenue solide, baigné de lune je ne redoutai plus de supplier. Et m'agenouillant auprès de lui et posant une main sur sa maigre cuisse, je le suppliai. Je lui dis tout, de manière désordonnée, tout du bien que nous avait fait son aide, à un moment où nous étions sans secours, tout du sergent, des menaces, de la faillite d'Oscar, et aussi ce que je voulais pour lui, pour moi et pour Cat (Kérim ne parut pas saisir tout de suite qui était cette Cat), ce que je voulais le plus c'était la paix de l'esprit, je ne voulais plus continuer comme ça, lui dis-je, être fâché avec toi, je ne veux plus que tu m'en veuilles. Nous n'avons plus quinze ans… À notre âge, il est temps de passer à autre chose, lui dis-je, nous avons d'autres combats à mener, des existences à mener, différentes… Je n'étais plus effrayé par l'éloquence, par les mots que j'avais jusqu'ici trouvés trop affirmatifs et trop durs, et Kérim me comprit, mieux que moi-même, ainsi qu'il l'avait toujours fait, il prolongea ma pensée.

Oui, dit-il, oui… Il s'agit d'un autre combat, intérieur… De vivre… autrement… Menés… par nous-
mêmes… En accord… avec nous-mêmes… Je vais
te donner de l'argent, me dit-il soudain en se tournant vers moi, une grosse somme d'argent, ajouta-
t-il en approchant son visage du mien comme pour
mieux observer ma réaction, rompant de cette
manière le charme qui me faisait boire ses paroles
– tout de même j'aurais juré que ses yeux luisaient
dans la pénombre. Tu pourras fuir, poursuivit
Kérim, tu feras ta vie grâce à cet argent, tout le
monde devrait avoir à un moment ou à un autre les
moyens de s'installer… Tout le monde… Mais je
ne veux plus te voir ici, reprit-il, tu pars, dès demain,
et la fille aussi. Je veux guérir à mon propre rythme,
entouré des miens… Rien que les miens…

Pour finir, mais il n'y a pas de bonne fin, de fin
convenable pour ce genre de séparation, comme Cat
osait enfin se montrer sur le seuil de la cellule, Kérim
me dit encore ceci : au fait, je me suis séparé d'Oscar, et de trois des hommes qu'il avait engagés. Je ne
pouvais pas faire autrement, tu comprends, je ne lui
faisais plus confiance. Je sais ce qu'il vous a fait, dit-
il, et je sais tout ce qu'il y a à savoir sur ce sergent,
ne t'inquiète pas, je m'occupe de lui… D'ailleurs il
n'y a rien à faire… Allez, Zalik, tout va bien, ces
deux-là ne valent rien… Oscar ne vous fera pas d'ennuis, je l'ai payé lui aussi, suffisamment… Et puis il
n'est pas méchant, il veut bien faire souvent… Il me
fait beaucoup penser à toi plus jeune, à nous, plus
jeunes, dit-il avec un sourire franc, ou malfaisant,
comment savoir, la lumière de lune laissait toute une
partie de son visage dans l'obscurité. Et ce sergent,
fit-il mine de s'interroger en détournant les yeux,

c'est peut-être bien l'avenir qui nous est promis ?...
Notre vieillesse ?... Peut-être bien... Sur ce il me
demanda de sortir, et de fermer la porte derrière
moi.

6

Rien de plus affligeant que notre départ de l'ermitage le lendemain, personne excepté le retraité Henri,
à moitié endormi, ne sortit pour nous dire au revoir,
nous souhaiter bonne chance. Cat, la gorge serrée,
ne dit rien, elle s'en alla sans un regard en arrière.
Moi, je crois que c'était surtout du soulagement que
j'éprouvais. Et, la tête vide, descendant la montagne
une dernière fois dans la clarté extrême du matin,
ne regardant ni en bas ni la forêt ni le ciel, mais fixant
le dos de Cat qui me précédait, je me demandai,
maintenant que nous formions un vrai couple, dans
la difficulté, quel refuge Cat et moi pourrions trouver, au bout de notre route… Quelle chambre cras-
seuse nous accueillerait (sur une terrasse, à Mexico),
quelle maison de bois serions-nous capables de bâtir
de nos propres mains, quelle communauté nous
permettrait désormais de vivre avec détachement,
heureux jusqu'à la fin de nos jours, ensemble ?
Contrairement à Cat, il m'importait peu de vivre
au soleil. Et même, je me serais volontiers installé
dans un pays de brouillard. Ou à proximité d'un
bayou. Ou dans une forêt de noisetiers et de chênes.
Pas de soleil pour retraité, pour vacancier, pas de
plage. Mais une langue étrangère à apprendre, très

exotique, très difficile, qui ne nous livrerait ses secrets qu'après bien des efforts. Qui garderait des secrets. Il nous faudrait trouver une auberge abandonnée, un hôtel délabré, un ermitage à un prix dérisoire, les ruines pullulaient dans certains endroits délaissés et inaccessibles, et nous pourrions passer notre vie, ensemble, à les retaper. Ce serait notre projet commun, tout au bout de la route. Il faudrait nous installer au bord d'un lac, pour bien faire. C'était plus cher. Une baie, peut-être? C'était plus cher. De toute manière nous aurions l'usage d'un ponton, dont nous interdirions l'accès aux gens du coin, mais pas aux gosses. Nos enfants? Non, pas d'enfant. Ou bien, me dis-je, vivre face à la mer, face au *poème de la mer*, comme se plaisait à le répéter Pardo, les yeux dans le vague, il devait venir d'une ville côtière du Chili, Valparaiso, ou quelque chose dans ce goût-là. La mer d'accord, me dis-je, mais contemplée depuis une falaise uniquement, dans le sud de l'Angleterre, ou sur une île grecque qu'on ne pourrait en aucun cas qualifier de paradisiaque. Là, une petite maison de pêcheur, aux volets bleus, sur un terrain vague, un filet de pêche traditionnel pour seule décoration intérieure, et un plancher sale, jamais balayé, jamais nettoyé. Il faudrait prévoir une grande diversité de recettes pour accommoder le poisson bien entendu, à mon grand désespoir, le soleil ardent contenterait Cat. Mais, me dis-je, dans ces tableaux idylliques qui défilaient et que j'accrochais l'un après l'autre aux murs nus de ma tête (à peine séparé de lui, il me semblait que je parlais comme Kérim, je me mettais à penser comme Kérim), je me rendis compte que Cat n'apparaissait pas, ou alors dans un arrière-plan qui était celui d'une femme dévouée, discrète et travailleuse qu'elle ne pourrait jamais être. À la vérité, j'envisageais le futur seul, toujours seul, je mangerais des olives et du pain, je ne boirais que de l'eau, j'exercerais quotidiennement mon corps, je multiplierais les métiers manuels pour faire durer mon magot et pour m'occuper, me préparer aussi, à quoi, entouré d'enfants qui ne seraient pas les miens et que je pourrais aimer de loin, me réchauffant au besoin durant les nuits d'hiver même pas froides avec quelques souvenirs de l'ermitage, mais pas avec ceux de Kérim, mais pas avec ceux de C., passant de femme en femme jusqu'à ce que ça ne m'intéresse plus (jusqu'à ce que les gens ça ne m'intéresse plus, c'était en bonne voie, ça doit bien arriver un jour quand on est vieux), et puis on verrait bien. Mais, tandis que ces visions, comme des rêves qui paraissent plus vraisemblables que le réel, commençaient à me plonger dans le désarroi avant même de s'être concrétisées, nous arrivâmes au bas de la pente, à C.

Pour recevoir l'argent que m'avait promis Kérim, une centaine de milliers d'euros qui ne pouvaient être réunis sans une journée de délai, Cat et moi dûmes rester en ville jusqu'au soir, après quoi nous comptions bien disparaître et ne plus jamais revenir à C., puis recommencer notre vie ailleurs, différemment il fallait l'espérer. C'était un jour de trop, évidemment, mais, un peu comme si j'avais été anesthésié, je dois dire que je n'avais plus aussi peur désormais d'être arrêté et reconduit de force jusqu'à ma caserne, je n'avais plus peur du sergent et de ses menaces qui, sitôt quitté l'ermitage, me parurent totalement délirantes, et puis le sentiment du danger m'était devenu assez étranger, à ce moment-là

Cat et moi éprouvions tous deux plus de tristesse que de nervosité, encore que Cat, maussade, ne me faisait guère part de ses impressions.

Une fois en ville, j'écrivis une lettre d'adieu à ma mère, lettre pleine d'émotion, c'est du moins ce qu'il me parut et Cat qui lisait par-dessus mon épaule semblait être d'accord, mais pas tout à fait honnête, j'omettais soigneusement de lui dire que je ne pourrais plus la revoir avant longtemps et même, si tout se passait selon mes vœux, plus jamais. Puis nous nous mîmes à hanter les cafés, choisissant à chaque fois le coin le plus sombre et le plus éloigné de l'entrée, à écumer les sites touristiques auxquels je ne m'étais jamais intéressé, les restes d'un mur d'enceinte abattu pendant la Révolution, les encorbellements remarquables des rues pavées de neuf, la cathédrale aux deux pointes inégales, comme deux cornes. À l'intérieur de celle-ci je me sentis, tout en déambulant, Cat au contraire s'était allongée sur un banc de prière et, la jupe relevée, montrait sa culotte et s'ennuyait à mourir, je me sentis une nouvelle fois tenté par la religion, par l'abandon à la religion et à l'illusion de la sécurité, un peu de la même façon que, plus jeune et tout aussi naïf, j'avais été attiré par l'armée.

Ce qui me séduisait dans les églises, c'était l'atmosphère surnaturelle qui ne manquait jamais de me transporter au-dessus des gens, des contingences, presque à la hauteur de ces vitraux qui tantôt semblaient nous accueillir dans la pleine lumière de la foi, tantôt pâlissaient et se contentaient de nous avertir des erreurs terribles que nous étions sur le point de commettre. Mais, ce jour-là, à la vue de la volée de marches menant à une crypte mal éclairée où aucun visiteur ne se risquait, je compris soudain que je m'étais laissé berner, j'avais été jusqu'ici superficiel, j'avais manqué du sérieux nécessaire pour appartenir à la vie, c'est-à-dire pour faire partie de la vie d'autres qui ne me mépriseraient pas, ne seraient pas Kérim et ne me séduiraient pas – j'avais toujours refusé l'existence souterraine parmi les autres, chaotique, grouillante, incertaine, j'avais désiré être comme Kérim, une lune ou un soleil, mais la véritable signification de chaque lieu et de chaque chose ne se trouvait pas dans les cieux, ne passait pas au-dessus de nos têtes, elle demandait plutôt à être déterrée, sans garantie de succès, c'était la leçon que nous donnaient les morts, et les tombes sous nos pieds.

Notre dernière journée à C. s'écoula lentement – de l'huile sur une lame d'acier. Cat ne parlait plus, ne me regardait plus. Sans doute, me dis-je vers la fin de l'après-midi, à bout de patience, elle n'en pouvait plus d'attendre pour recevoir sa part, elle voulait sa juste part, en réalité elle espérait seulement, en récompense de sa fidélité, de l'argent… Et puis elle s'en irait de son côté… Mais non, c'était pire que ça : elle me voulait moi, bel et bien, avec de l'argent… Elle voulait faire l'expérience de la richesse, rien qu'avec moi, goûter à l'opulence et ne plus se préoccuper que de ce qu'elle possédait… Moi, et ce sale argent… Enfin, à la tombée de la nuit, il fut temps de nous mettre en route pour notre rendez-vous.

Nous avions presque toute la ville à traverser. Je n'étais pas mécontent ; j'espérais que cette marche m'éclaircisse les idées, et aussi qu'elle fasse taire la voix aigrelette qui ne cessait de me glisser à l'oreille depuis quelques heures : *Voilà la corruption, voilà l'intérêt... Il est clair maintenant que tu as toujours feint le désintéressement... Ce n'était pas la peine de faire tant d'efforts, plus jeune, pour les éviter, car voilà la corruption, voilà l'intérêt...* J'aurais pu écouter et m'enfuir, une fois de plus, irréprochable et désargenté, mais, devant moi, Cat avançait résolument, et je ne pus me résoudre à tout planter là... Je la suivais... Après tout nous ne faisions rien de mal... Nous réclamions notre dû... Et puis c'était une conclusion logique, sociale, j'étais né pauvre et je tentais de m'en sortir, comme on dit, une boucle se bouclait, comme on dit, il me faudrait bien prendre l'argent et puis partir... Pour me distraire un instant du trouble que je ressentais, je crus bon de refaire largement mes adieux à la ville de C., à la statue verdie du vieux soldat depuis toujours figé dans sa pose allégorique, armes gisantes à ses pieds et bras tendu vers le souvenir d'on ne savait plus quelle guerre, adieux empreints de regrets dont je sentais qu'il ne serait pas aisé de me défaire, adieux un peu funèbres, aux fontaines noires, aux boutiques hors d'âge, à la rivière jolie, à la montagne, à toutes les croix petites et grandes et à Kérim, là-haut. Après trois quarts d'heure de montées et de descentes qui exigèrent de nous, à sentir mes tempes battre et à voir le visage rougi de Cat, beaucoup plus qu'un simple effort physique, le quartier fut en vue. Nous longeâmes d'abord l'avenue Marx, sans prendre de précaution particulière pour éviter les regards des éventuels curieux, puis nous nous enfonçâmes dans un dédale de rues qui n'avait guère changé depuis mon enfance mais était, peut-être, mieux éclairé, jusqu'à l'impasse des Quatre-Petits-Chevaux, où se trouvait, occupant tout le fond, un garage dont le volet de fer était à moitié relevé et devant lequel, entièrement vêtu de noir, un homme attendait en fumant, levant régulièrement la tête pour contempler des étoiles invisibles.

Il n'y eut pas de difficultés comme j'avais pu le craindre, encore que, au vu des quelques armes que j'aperçus, négligemment posées ici et là à l'intérieur du garage, je n'avais pas eu tort de m'inquiéter, en tout cas l'homme qui m'escorta depuis l'entrée aussi bien que celui, aux faux airs de banquier, qui me tendit sans parole inutile un sac de sport lourd et bien rempli, se comportèrent avec la plus grande courtoisie. Et puis, peut-être parce que j'avais l'impression curieuse de me retrouver sous la terre tout à coup, il n'y avait d'autre bruit que le ronronnement d'un petit moteur, ou bien parce que ces hommes et l'existence qu'ils menaient, envers et contre tout, me paraissaient dépourvus de complication, contestables sans doute, mais simples, je me sentais bien dans ce garage, je me sentais à ma place. J'avais l'argent, mais j'hésitais à m'en aller, j'aurais voulu parler un moment avec ces hommes qui me paraissaient sages, les interroger, sur les risques qu'ils prenaient et qui m'effrayaient, pour tout il me fallait demander une autorisation, sur l'obscurité qu'ils semblaient chérir et qui me terrorisait, ces deux hommes auraient pu m'avertir des pièges à éviter quand on devait prendre la vie comme elle allait, quand on acceptait la vie comme elle se présentait... Toutefois, je n'osai rien dire. Et, comme je m'attardais sans raison apparente, un sourire timide aux lèvres, le banquier finit par me demander si Kérim, Monsieur San, allait mieux. Mais, sans attendre ma réponse, l'autre homme me prit doucement par l'épaule, et me montra la sortie. Toute l'affaire n'avait pris que cinq minutes.

Dehors je retrouvai Cat qui, sans un mot, me prit l'argent des mains, puis nous nous en allâmes d'un pas lent, nous étions tous les deux surpris de notre bonne fortune, Cat était peut-être la plus étonnée, elle ouvrait sans cesse le sac, fourrait sa main à l'intérieur en riant d'une façon étrange, comme si elle s'étouffait, ou comme si elle avait touché un serpent, puis elle le refermait tout à coup, l'air méfiant ; il n'avait rien de maudit, cet argent, il ne brûlait pas les doigts, ne sentait pas, ou alors rien d'autre que l'argent, aurait dit Kérim, aucun sort ne nous avait encore frappés – cela nous inquiétait. Au bout de l'impasse, Cat parut se rendre compte de ma présence pour la première fois de la journée, et elle me sauta au cou et m'enlaça comme si elle avait soudain très froid. Mais nous n'avions pas fait cinq cent mètres et rejoint l'avenue déserte ainsi, l'un contre l'autre, amoureux, soucieux et amoureux, que nous vîmes un homme, venant dans notre direction, qui se comportait de manière plus qu'étrange. Il n'avait pas l'air de marcher, bien qu'il se tînt sur ses deux jambes ; on aurait plutôt dit que, ayant l'habitude de ramper parce qu'il affrontait en toutes occasions un vent contraire ou qu'il traînait derrière lui un poids trop lourd, il s'essayait pour la première fois à la station debout. Il ne progressait pas vite, s'arrêtait de loin en loin sous chaque lampadaire, et, sans élan, sautait à pieds joints dans la moindre flaque de lumière, comme si, complètement ivre, il espérait tomber dans un trou mais ne faisait qu'éprouver la dureté de l'asphalte. Il chantait, assez mal, ceci dit l'air avait quelque chose d'envoûtant, de très ancien, et je me rappelai tout à coup avoir entendu Kérim prononcer les mêmes paroles :

Quand il fut sur le trône…
Là-haut, là-haut
Quand il fut sur le trône…

Je reconnus Gazi. Le voyant s'approcher, puis foncer sur nous comme s'il voulait nous dépouiller, Cat serra par réflexe le sac contre sa poitrine, ce qui n'échappa pas à Gazi, et parut le peiner : non non, dit-il, je sais… Plus de vol, c'est impardonnable, je le sais bien… Puis se détournant de nous et nous oubliant soudain : ou dans ce cas c'est justifié ?, se demanda-t-il. Bien sûr que non… Hein ? Trop seul on a de drôles d'idées, mais il faut savoir se tenir quand il y a du monde, avec le monde il y a les tentations… Mais il faut la jouer fine quand même. De toute façon, se mit à hurler Gazi, l'argent du brave Kérim, je sais tout, j'en veux pas, j'en veux pas, j'en veux pas ! Pour qui ils me prennent ?… Malgré la répugnance que j'éprouvais encore à l'égard de Gazi, je commençais à m'apercevoir que, plus qu'avec Kérim, plus qu'avec le sergent et tous les militaires du monde, brisés et alcooliques, plus qu'avec les mauvais garçons qui semblaient toujours savoir quoi dire et quoi faire, c'était auprès de gens comme Gazi que j'apprenais quelque chose, avec les fous, les impuissants et les désespérés dont la fréquentation suscitait à coup sûr le malaise – pas d'équilibre possible, disaient-ils, pas de justice… Mais déjà Cat s'éloignait en me tirant par la main, regardant droit devant elle. Attendez, dit Gazi, il tentait de nous rattraper en clopinant, délaissant à regret les cercles lumineux dans lesquels il ne pouvait tenter de disparaître, attendez… Attendez!, finit-il par crier, mais il se fit taire en plaquant une main sur sa bouche, comme épouvanté par sa propre voix. Puis il se remit à courir après nous, comme il le pouvait, attendez, c'est pas pour ça, c'est pour autre chose, de mieux, dit Gazi… Hé arrêtez-vous, quoi, je suis essoufflé… Quelque chose dans le ton plaintif de Gazi sembla cette fois frapper Cat, qui stoppa net. C'est… Pardon… C'est vos amis, chez moi, dit Gazi, dans la maison de mon père, c'est juste à côté… Je suis sorti dehors, je n'en peux plus, il faut venir m'aider… Le brave Kérim de la montagne leur a dit de partir, mais qu'ils pouvaient s'installer là en attendant de trouver autre chose… Bien sûr, papa et maman sont avec lui là-haut, bien sûr, le pauvre moi, je vis où maintenant moi?… Venez venez, faites-les s'en aller… Ils font du bruit tous, ils me dérangent, ils boivent alors que Gazi ne boit pas, certains se droguent dans la chambre de mon papa… Se droguer n'est pas une solution, pour ça, dit Gazi en tapotant son crâne et en me dévisageant. Venez, d'accord?… Vous venez?… Nous nous regardâmes avec Cat, nous avions bien envie de nous reposer, je me sentais éprouvé après une journée passée à ne rien faire qu'attendre, mais ce n'est pas la fatigue qui nous décida… Nous n'étions pas obligés de passer la nuit dehors, nous pouvions appeler un taxi, et le dernier train n'était pas encore parti… Ce n'est pas la pitié qui nous décida, encore que Cat observait Gazi avec curiosité à présent, comme un projet nouveau auquel elle pourrait se consacrer… La nostalgie joua un rôle peut-être, et aussi le sentiment de ne pas avoir quitté ceux de l'ermitage de façon convenable, si je puis dire, que ce n'était pas fini entre nous… Peut-être… Peut-être était-ce comme se venger de Kérim, un peu, et peut-être nous sentions-nous appartenir désormais à la même famille que Gazi, malgré l'argent?… Ce n'était rien, cet argent, ça ne comptait pas… En quelque sorte… Après quelques minutes d'hésitation nous acceptâmes de suivre Gazi.

La maison de ses parents se trouvait à deux pas. Je ne me la rappelais pas très bien, j'y avais été rarement invité par Kérim, finalement, et toujours traité comme une quantité négligeable sitôt passé le seuil. À l'intérieur, un invraisemblable éclairage rougeâtre, dans les couloirs et dans la cuisine, nous donna d'abord l'impression de pénétrer un asile ou un bordel, mais, contrairement à ce qu'avait dit Gazi, tout était calme. La quasi-totalité des anciens occupants de l'ermitage s'étaient entassés dans le petit salon, assis, affalés par terre ou sur l'unique canapé, quelquefois endormis, et, dès notre entrée, ce pêle-mêle de corps au repos dans toutes les positions imaginables faisait songer à une tribu déplacée, sur le point d'être dispersée, ou alors à des restes humains sur un champ de bataille, à notre époque où on ne voit plus les batailles – jamais ce genre d'image ne me quitterait, pensai-je, ne me laisserait la possibilité de voir et de penser autrement…

Du reste, cette vision n'était pas entièrement fausse : chacun dans le salon semblait s'être isolé de son mieux, occupé dans son coin à ruminer son propre malheur, et tout ce qui était arrivé à l'ermitage, ce qui y avait été fait et compris paraissait oublié, hormis la vague conviction qu'il fallait demeurer ensemble, vaille que vaille, sans plus rien avoir en commun. Cela explique sans doute que, nous voyant apparaître, Cat et moi, puis progresser difficilement dans la pièce en enjambant les nombreux obstacles, nul ne fut surpris, ne s'offusqua de notre présence, ne nous fit la grâce d'un regard un peu plus appuyé ou courroucé. Posté près de la porte vitrée qui donnait sur un minuscule jardin, Henri avait l'air d'un vieillard échappé de l'hospice, déboussolé ; à côté de lui le père d'Oscar, Laridson, tenait dans ses bras sa femme qui poussait de petits gémissements dans son sommeil. Malgré le peu de sympathie qu'il semblait avoir eue pour moi, là-haut (il avait été obligé de fuir le Brésil et la dictature militaire en soixante-quatorze, à la toute fin des années de plomb, et il n'aimait pas beaucoup les soldats, déserteurs ou pas), ce dernier me fit signe de venir et de m'installer près de lui, puis me raconta, avec l'air soulagé de ceux qui se purgent d'un mauvais souvenir, de quelle façon, le matin même, on les avait chassés de l'ermitage. D'abord c'était Liem, le père de Kérim, qui était venu le trouver dans sa chambre très tôt, il était visiblement troublé et ne savait à qui se confier. Il lui expliqua que, dès son réveil, Kérim avait réuni sa famille et ses hommes pour leur exposer le nouveau règlement en vigueur : tous les autres occupants (*parasites* fut plutôt, paraît-il, le terme qu'utilisa Kérim) devraient avoir quitté l'ermitage le soir même ; à compter de ce jour, les repas seraient pris auprès de Kérim, dans sa propre chambre, on s'arrangerait pour la place, et les menus ne devraient plus comporter de viande ni de friture ; un couvre-feu était instauré, valable pour tous sans exception ; le bruit, la musique, et tout ce qui pourrait perturber le repos du convalescent était désormais interdit. Kérim semblait avoir perdu la tête. La fièvre pourtant n'était pas revenue, sa température était surveillée de près, mais il ne parlait plus maintenant que de façon très embrouillée, baragouinant sans cesse au sujet d'une guerre que, soi-disant, il menait, des conflits qu'il devait régler, Kérim se voyait apparemment comme un combattant, mais sa famille, elle, avait dit Liem, ne le voyait pas du tout comme un combattant. Son père et sa mère avaient espéré naïvement, à sa sortie de la maison de repos, retrouver sans délai le jeune homme mesuré et protecteur qu'il avait été avant la leucémie, il était maintenant guéri, et, sans lui, ils se sentaient proprement perdus. Bien sûr Kérim pouvait avoir changé, un peu, ils s'étaient préparés à cette éventualité, son père au moins avait pu voir ce qu'il avait traversé, ils s'étaient dit qu'ils devraient faire preuve de patience avec lui, jusqu'à son rétablissement complet, ces choses-là prenaient du temps. Mais il était devenu fou, il parlait comme son frère aîné, ses exigences dépassaient la mesure, et, si cette nouvelle affection n'était pas irrémédiable, de combien de temps aurait-il besoin pour recouvrer ses esprits? Redevenir ce qu'il était, fort, et bon avec eux? Liem ne pouvait comprendre que Kérim n'était plus son fils, ni même un homme, mais un rescapé, et que, demain, dans un an, il ne se soucierait jamais plus que de son propre sort, il ne s'en sortirait pas. En même temps, il se sentait coupable d'éprouver si vite du découragement, et puis de penser *à mal*, de n'être plus, en fin de compte, un bon père : c'était son fils, en dépit de ses errements, il n'était pas mort. Puis, poursuivit Laridson, juste après le départ du père de Kérim qu'il n'était pas parvenu à consoler, ce fut Maji qui frappa à sa porte et leur demanda, à lui et à sa femme, de vider les lieux séance tenante.

Malgré leur exode et sa déception, Laridson essayait, c'était visible, de ne pas blâmer Kérim, mais, c'était également visible, il ne pouvait s'empêcher de lui en vouloir, tous ces efforts et cette peine là-haut, tous ces bouleversements, me dit-il en tirant ma manche, pour échouer dans cette maisonnette qui n'étaient pas à eux, à la communauté, comme il disait, dont ils ne pouvaient rien faire. Leur fils Oscar, se plaignit Laridson, leur propre fils s'était précipité pour vendre le petit appartement qu'avec sa femme ils occupaient en ville, avant d'être contraints de s'installer à l'ermitage, mais ils ne savaient encore rien de la somme qu'il avait pu rap-porter... Qu'est-ce qu'ils allaient faire, et qui les aide-rait, désormais ? Cependant, me dis-je, Laridson avait tort de gémir... Il ne servait à rien de s'apitoyer sur son sort, après tout, un ordre naturel paraissait se rétablir... Il n'y avait pas à redire, pas plus qu'il n'y avait à protester lorsqu'on vous envoyait faire la guerre au nom de la France, ou quand votre meil-leur ami vous appelait, toutes affaires cessantes, à son chevet... Qui étions-nous, pour affirmer ce qui aurait dû être, ce que nous aurions dû recevoir, et prodiguer ?

Pendant tout le récit, plein de digressions et de remords, que chuchota Laridson à mon oreille, je ne pus quitter Cat des yeux. Elle s'était détendue après notre arrivée, retrouvant en société, comme par enchantement, son sourire le plus aimable, elle s'était assise avec Gazi sur la grande table du salon, faute de place. Et elle portait maintenant toute son attention sur lui, elle le dévorait des yeux… C'était une chose bien étrange à observer… Cat avait oublié le sac de billets, elle le laissait traîner, à portée de main de Gazi, elle le lui avait peut-être même confié… Elle avait compris ce que je savais moi-même, depuis bien longtemps : Gazi ne s'intéressait pas à l'argent mais, tout comme son frère était constamment occupé par l'idée de donner et, de cette manière, de posséder, ce qui brûlait Gazi c'était le désir de recevoir et de posséder, de recevoir enfin quelque chose de son cadet, quelque chose qu'il pourrait garder et qui serait à lui. Et Cat, à sa façon, tentait de le consoler de ce qui ne lui serait jamais accordé, à présent il le savait… De le consoler de son existence entière, constamment niée, dans toute la ville de C. et dans chaque rue du quartier, jusque dans la maison de son enfance où, à ce que prétendait Gazi, la chambre de Kérim avait été conservée à l'identique depuis son départ, comme un sanctuaire dans lequel ses parents même hésitaient à entrer, si ce n'est, de temps à autre, pour aérer, épousseter les meubles et s'assurer que tout était resté en l'état, puis rêvasser un moment, debout près du bureau, caressant la couverture usée d'un manuel scolaire laissé par leur fils préféré, le seul en fait dont la réalité fût avérée pour eux, alors que, pendant des années, les seules nouvelles qu'ils reçurent de lui furent celles que donnaient certains médias régio-naux. Et Cat, sensible tout à coup à la détresse de Gazi qu'elle sentait profonde et vraie, mue par un mécanisme de compassion et d'intérêt pour elle-même lorsqu'elle se trouvait compatissante, qui l'ex-pliquait presque tout entière, Cat avait décidé de materner Gazi, sans plus se préoccuper de moi, de l'argent ou de son propre sort – c'était ce que Cat faisait, secourir celui qui lui paraissait le plus faible et le plus malchanceux à l'instant, et puis s'attacher à lui, quand elle ne savait pas quoi faire d'autre, quand elle n'était pas elle-même la plus malheureuse et la plus faible... Elle était folle, à sa façon, mais nous l'étions tous et je n'étais pas jaloux, je n'allais pas la changer – c'était mieux comme ça.

Je passai les heures suivantes à dévorer Cat des yeux, tout ce que je savais d'elle je l'avais appris à bonne distance, en la scrutant, nous nous étions écroulés devant la télé, et, tandis que Cat suivait des émissions ineptes sur lesquelles je ne parvenais pas à fixer mon attention, la grosse tête échevelée de Gazi posée sur son épaule, je la regardais et la regardais, c'était l'activité la plus satisfaisante qui soit, comme pour graver à jamais ses traits dans ma mémoire. Depuis des jours d'ailleurs, je ne faisais plus que ça, la regarder, je ne l'embrassais plus, je ne la touchais plus avec suffisamment de ferveur. Installé à côté d'elle, je n'avais pourtant qu'à étendre le bras au-dessus de Gazi pour lui prendre la main, ou lui caresser la joue, mais cela me semblait déplacé, je ne sais pas, et je les trouvais maintenant indécents, ces gestes qui auraient sans doute scellé, rendu effectif ce que nous n'avions pas encore osé appeler notre amour, il était trop tard – je ne lui avais pas dit que je l'aimais, elle ne m'avait jamais rien dit.

Il me fallut le reste de la nuit pour me décider à partir, et accepter de ne jamais revoir le visage de Cat, cela seul était un déchirement, et je me récitai longuement, comme un proverbe qui aurait fait ses preuves, cette phrase que Kérim aimait, c'était de sa part une aide plus précieuse que l'argent, une phrase qu'il disait le plus souvent en allemand mais que je m'étais empressé de traduire : *Et ce sont justement les plus solitaires qui œuvrent davantage pour la communauté...* Ça me parlait maintenant, ça me suffisait... Apercevant par la fenêtre les premiers contreforts de l'aube, je me levai, comme pour me dégourdir les jambes. Je ne pouvais savoir si Cat s'était endormie, sa main droite formait comme une visière au-dessus de ses yeux, mais elle ne bougea pas, et je laissai l'argent, et je ne lui donnai pas de dernier baiser. Une fois dehors, saisi par l'air froid et me sentant pour ainsi dire vomi par une dimension parallèle et cauchemardesque dans le monde glacé des gens normaux, je me mis à marcher d'un bon pas en direction de la gare, où je montai sans billet dans le premier train en partance.

7

Au cours des jours qui suivirent mon départ de C.,
tout me parut extrêmement étrange, comme si, avançant sans repères et sans destination précise, je ne
désirais plus que me perdre. Dès lors, j'eus l'impression de m'effacer. Je me rendis à Lyon où j'attendis
l'été, galérant, d'un poste de grouillot à l'autre, dans
le restaurant d'une grand-rue piétonne, sortant le
moins possible, remontant tout de même les berges
du Rhône quelquefois, au crépuscule, jusqu'à l'étouf-
fement entre les murailles de verdure qui s'élevaient
de part et d'autre du fleuve, au nord de la ville. Il
me semblait être constamment épié. Je pensais en
dépressif à ce moment-là, je crois que je pensais
philosophiquement, si je puis dire, et aussi religieu-
sement, si bien que ma vie se trouvait réglée exclu-
sivement par la foi : ce que je croyais vrai était vrai.
Et tout ce qui m'arrivait, me disais-je, concernait
une vieille image de moi, une dépouille qu'après
bien des convulsions j'étais sur le point de laisser
derrière moi ; tout ce qui m'arrivait aurait très bien
pu se produire ailleurs, et affecter d'autres gens
– dans cette mesure, je n'étais jamais seul. J'évitais
à tout prix de m'interroger sur ma propre situation,
je ne voulais pas savoir ce qu'avaient pu devenir Cat

et les autres, j'essayais de m'occuper de moi, sans trop me préoccuper de moi, façon de parler.

Malgré tout, lorsque je m'isolais avec mes pensées, avec deux ou trois de mes pensées, il me semblait que je me trouvais en sursis, d'une façon ou d'une autre, j'avais le sentiment vague d'être menacé, sans que jamais la menace ne se précise, et aussi d'une inadéquation avec le lieu et avec l'époque dans laquelle je vivais, je me regardais vivre, et je passais de dures heures alors, inerte sans raison (j'étais jeune encore, j'avais encore beaucoup d'années à vivre, ma jeunesse n'était pas finie), sous la pluie à la nuit tombée, je restais immobile devant le reflet des enseignes jaunes sur le trottoir mouillé, ou dans une cour derrière les cuisines du restaurant, assis sur des cagettes, détaillant le ciel mauve tandis que mes compagnons, pour la plupart sans-papiers, plus habitués à l'angoisse de la clandestinité, de l'inexistence qui me taraudait depuis peu, jouaient aux dés sur un bout de carton posé sur le sol, et lorsque je tentais de briser le sort et que je m'approchais d'eux pour ponctuer leurs lancers rapides et sûrs de ridicules Bien joué, Bien joué les gars, ma voix refusait de porter. Quelque concrétion à l'intérieur de ma gorge refusait de dégager le passage, et je ne pouvais crier, la plupart du temps je ne pouvais même pas parler. Je me disais que c'était la guerre qui revenait, comme une maladie chronique, que ce n'était pas grave. Mais il me semblait avoir laissé, quelque part en arrière, une partie de moi qui tout à coup me manquait, comme si ça avait été un bras ou une jambe, sans parvenir à comprendre exactement ce que c'était qui se rappelait ainsi douloureusement à mon souvenir, ce que j'avais raté, et en quoi j'avais mal agi.

Aucune des punitions physiques, morales que je m'infligeais d'habitude pour expier mes fautes ne réussit à me satisfaire cette fois. Cependant, je dois l'avouer, en dehors de quelques épisodes véritablement critiques, ma vie quotidienne était somme toute agréable, puisque je ne décidais plus de rien, bien rythmée par des accès de sensiblerie qui me coupaient la respiration et m'empêchaient de me montrer des jours entiers pendant lesquels je pleurais et je buvais sans discontinuer.

En septembre de cette année-là, après avoir croisé une fois de trop une patrouille de soldats armés aux alentours de la gare de Perrache, et ayant, par ailleurs, mis de côté l'argent du loyer que je ne payais plus depuis trois mois, je repartis vers l'Est. Les hasards du stop ne me permirent pas de faire étape à Strasbourg comme je l'avais espéré, aussi, déposé par un routier non loin de la frontière mais n'ayant pas les moyens de vivre en Allemagne, et, peut-être, de connaître cette existence paisible, ventripotente dont Kérim avait toujours rêvé, je décidai de pousser en direction du nord-ouest, vers la mer, me disais-je, peu convaincu, dans les cabines de mes différents chauffeurs, mais je m'arrêtai finalement, je ne sais pourquoi, dans une petite ville de la Somme, à Péronne. Après deux jours de clochardise que je ne veux pas me rappeler, je m'installai dans une pension pour routier où la gérante, une sorte de sainte dynamique que la plupart des gens appelaient Manina, me permit de loger un certain temps contre un prix modique, en plus de quelques services que je pourrais lui rendre, me prévint-elle tout de suite, son fils ayant quitté la maison elle se trouvait livrée à elle-même, c'est ainsi du moins qu'elle me présenta les choses le premier soir.

Là, je pus mener la vie qui aurait été la mienne, sans doute, si je n'avais jamais quitté C. Les jours se suivaient, dont la monotonie n'était guère brisée par la succession des petits boulots que me trouvait Manina et que je laissais tomber, invariablement, au bout de quelques jours, comme si, en moi, la concrétion qui bouchait ma gorge avait fini par descendre, c'était au tour de mes membres, au tour de ma poitrine et de mon ventre de durcir et de se fossiliser. En tout cas, dans cette petite ville où tout le monde se connaissait, de vue, de réputation, je ne redoutais plus d'être reconnu et arrêté puis ramené à mes obligations militaires, contre toute logique, j'avais été, d'emblée et sans vérification préalable, choisi et considéré. Et je pouvais aller partout, content de ma vie banale, dans les rues aux petits commerces, aux petites maisons de brique, les mains dans le dos, curieux et attentif, ayant toujours à saluer au moins une ou deux connaissances récentes, je passais des journées entières à la bibliothèque où je commençais par lire péniblement certains des ouvrages dont Ké m'avait parlé, ceux dont le titre m'était revenu, mais je finissais par me rabattre sur l'un des nombreux livres d'histoire locale qui remplissaient les rayonnages, ou bien je dévorais en quelques heures une histoire criminelle qui se prétendait authentique. Je me souviens avoir lu à cette période un livre assez détaillé sur la cavale et la réclusion de celui qui avait été le fugitif le plus recherché de France, Yvan Colonna, qui permit à mon esprit de voyager un moment dans les paysages de Corse où je n'avais jamais été, dans le maquis où, me semblait-il, j'aurais pu me cacher indéfiniment. Le reste du temps, je prenais mes marques avec avidité, comme si mon installation à Péronne avait été un projet de longue date, arpentant dès que je le pouvais un quartier précis ou me promenant dans les champs alentour, me repérant sans carte par rapport aux grands axes, à la mairie, me familiarisant avec les méandres de la Somme. Puis, ayant l'impression d'avoir fait le tour de la ville, plusieurs weekends d'affilée, en fait chaque week-end pendant plusieurs mois et à la moindre occasion pendant la semaine, partant de la porte de Bretagne, je m'enfonçai dans la campagne pour parcourir, de façon aussi complète que possible, le long circuit du souvenir de la Grande Guerre.

Celui-ci se trouva être, à ma grande surprise, immanquablement distrayant. J'avais cru d'abord ne voir que des cimetières et cimetières il y avait, britannique, français, allemand ou australien, monumentaux pour la plupart, croix et plaques dressées parfaitement alignées sur de grandes pelouses soignées et rectilignes, comme si les soldats, déchiquetés par les obus, coupés en deux par la mitraille, empoisonnés par les gaz ou décimés par la grippe, ainsi que le rappelaient les nombreux panneaux d'information sur le parcours, avaient tous sans exception, quelles que pussent avoir été leur origine, leur classe sociale et leurs raisons de combattre, trouvé là la même paix ordonnée et aérée, presque factice, entrés par dizaines de milliers dans une gloire d'un vert tendre qui donnait le frisson et ne devait guère, à mon idée, favoriser leur repos, tandis que, tout près, les morts civils qui, le plus souvent, n'étaient morts que pour eux, sans raison supérieure et sans cause à défendre, même des plus démentes, et dont la disparition peut-être n'avait même pas causé de chagrin, les morts qu'on visitait à la Toussaint me semblaient par comparaison, dans leurs cimetières mal entretenus et anarchiques faute de place, être plus simplement retournés à la terre, aux vers, aux pierres et aux mauvaises herbes, comme il se devait.

Mais il n'y avait pas seulement des cimetières à voir le long du circuit et, plus que mes divagations un peu lugubres sur la manière dont on traitait les chers disparus, sur ma propre mort qu'inexplicablement je sentais proche et sur le souvenir qu'on garderait de moi, c'était la multiplication des nécropoles de toutes dimensions, mémoriaux, obélisques, les tranchées et les barbelés laissés intacts et les listes sans fin de noms (je me rappelle ainsi qu'à l'intérieur du mémorial de Thiepval, consacré aux soldats britanniques tombés pendant la bataille de la Somme, je retrouvais avec plaisir à chacun de mes passages, sur l'un des seize piliers qui soutenaient d'immenses arches, les beaux noms de *Dixon* et de *Hammond*, *Blackworthy*, *Ballantine*, *Spottiswood* et *Netcalfe*, *Faulkner* et *Llewellyn*, des *Northumberland Fusiliers*, *Royal Irish Fusiliers* ou du *Yorkshire Regiment*, qui me réconfortaient), ce furent toutes ces traces d'un passé qu'on retenait à deux mains, qu'on refusait de laisser disparaître pour former une couche sédimentaire de plus sous nos pieds, qui me donnèrent le vertige. À La Boisselle, près d'Albert, au lieu-dit du Lochnagar Crater, devant le trou de plus de vingt mètres de profondeur qui résultait de l'explosion formidable d'une mine en 1916 et qu'on s'était employé, depuis, en hommage à ceux qu'on considérait comme des martyrs, à préserver, j'éprouvais à chaque occasion un étourdissement semblable, quoiqu'un peu différent, toujours plus précis et plus concret, me disais-je, parce qu'il me semblait possible ici, à la vue de cet immense vide dans la terre qu'on ne laissait pas combler, de voir et presque de toucher, pour ainsi dire, le fond du malaise qu'en permanence je ressentais.

Un soir, à la fin du dernier tour que je fis jamais sur le parcours de mémoire, en compagnie des morts à présent centenaires et des rappels de la destruction centenaire, alors que je me trouvais une nouvelle fois au bord du grand cratère, je décidai d'aller jusqu'au bout, c'est ce que je me dis, et, sans autre besoin je crois que celui de ne pas faire comme tout le monde, je descendis dans le trou béant, malgré les nombreuses interdictions formelles et les dangers qu'on pouvait supposer quant aux obus qui n'avaient pas éclaté et aux mines restantes. Il n'y avait pas de barrière, ni de grillage pour empêcher l'accès, et il me suffit de contourner un buisson épais et de dévaler une sente abrupte pendant quelques secondes, pour atteindre le fond. Là, à l'exact centre du cratère, des dizaines de croix minuscules avaient été plantées en cercle, entourant des couronnes de coquelicots à l'aspect lamentable et passé. Cependant, une fois en bas, je ne sus que faire de plus. Et si quelqu'un, le descendant d'un des hommes tombés ici, me surprenait ? Par défaut plus que par respect pour les morts, je fermai les yeux et je me recueillis pendant un instant, c'est du moins ce qu'il me sembla, ne pensant à rien d'autre qu'à mon retour vers Péronne, et à la marche pénible qui m'attendait. Mais, ayant relevé la tête, je fus pris de panique, je ne reconnaissais rien : on n'entendait plus aucun bruit, comme si tous les oiseaux et les insectes s'étaient tus, le vent même semblait refuser de souffler dans le cratère, et l'eau d'y ruisseler ; les parois du trou, même recouvertes d'herbe folle, me paraissaient nues tout à coup, lisses, et j'eus le sentiment qu'il ne serait plus possible désormais de les escalader pour en sortir ; et l'obscurité, en quelques minutes, avait tout envahi, si bien que j'apercevais difficilement le dehors, sous le ciel voilé qui formait comme un dôme au-dessus de ma tête, comme si, me dis-je, comme si aucune aube n'était envisageable.

J'aurais pu, c'est certain, à tâtons, m'extirper assez facilement du trou ; j'aurais pu reprendre, après un effort maladroit, ma vie à la surface, inchangé et incomplet. Mais, dans le noir, un désespoir puissant s'était emparé de moi et je tombai à genoux, à bout de forces, comme si la fatigue accumulée d'une trentaine d'années d'existence m'accablait tout à coup. Et je restai ainsi durant de longues heures, paralysé et affolé par cette paralysie que je ne comprenais pas, ne sentant plus sous moi la terre ferme mais un sol meuble, mou, poudreux, susceptible de m'ensevelir, comme si je me trouvais, me disais-je avec épouvante, sur la lune… Plus que tout, j'avais peur de disparaître avant mon heure, je craignais d'être enterré vivant, de la même manière qu'avaient disparu les soldats amis, les soldats ennemis de 1916, je craignais, d'une façon qui m'est devenue aujourd'hui presque incompréhensible, que les os de mes jambes et de ma hanche qui me firent horriblement souffrir cette nuit-là, ne se détachent de mon corps pour rejoindre le gigantesque ossuaire que j'imaginais sous moi… J'étais écrasé, pour une fois incapable de fuir, comme s'il me fallait absolument subir cette épreuve, à mes risques et périls – ce n'était pas une de ces expériences où l'on frôle la mort d'assez près pour se sentir vivant, mais une frayeur qui s'éternisait et me glaçait, jusqu'à faire, à chaque minute pratiquement, s'arrêter mon cœur. Et je me souviens même que, à une heure particulièrement sombre de la nuit, émergea du silence solide dont j'avais l'impression qu'il saturait et faisait saigner mes oreilles, un chœur de voix inhumaines et suintantes qui réclamaient de moi une décision, une décision définitive, je les entendis vraiment, et je crus, à plusieurs reprises, devenir fou... J'ignore comment je survécus, peut-être, simplement, comme tant d'autres avant moi, par habitude, attendant envers et contre tout le lever du jour ; ou peut-être, me dis-je maintenant, ce fut en fin de compte la perspective de demeurer dans le trou, indigne et clandestin, parmi les héros de la guerre, parmi la charogne et l'acier, qui me poussa à remuer et à remonter péniblement, comme si je n'avais plus l'usage complet de mon corps, un peu avant l'arrivée des premiers rayons du soleil.

Ce matin-là, progressant avec une difficulté telle que je crus ne jamais revoir la ville, je regagnai Péronne en homme neuf, c'est ce qui me vint à l'esprit, par bribes, au retour du Lochnagar Crater. Puis, au cours des jours suivants, je tentai de préciser ma pensée, de tirer des conclusions, pour moi seul, cloîtré et récupérant tant bien que mal dans ma chambre à la pension, essayant de ne pas oublier surtout les sensations et les sentiments qui m'avaient agité dans mon gouffre, et je me dis que ce que je voulais maintenant, c'était ne plus revenir sur mon passé, ne plus jamais être ni faire comme avant – Kérim et l'armée, ma jeunesse à C., Cat, il me semblait les avoir abandonnés derrière moi, dans le trou. Cette impression de renouveau, je la conservai pendant quelques mois encore, fragile et cependant ferme, parfois terrible, comme peut l'être le souffle sauvage de la vie qui nous revient, d'ailleurs je demeurai à Péronne de peur de la voir s'envoler, je ne sortais que rarement de la ville, me contentant pour l'essentiel de joies simples, de voir clairement et de sentir, dans la société presque exclusive de Manina et de ses proches.

Pourtant, à la mi-janvier, ayant passé les fêtes de fin d'année de la façon la plus satisfaisante qui soit, quasiment décérébré, et entouré comme un convalescent ou comme un très jeune enfant de l'affection de Manina et de quelques membres de sa famille, alors que nous regardions comme chaque soir le journal de vingt heures dont Manina ne perdait pas une miette, de la première minute à la dernière minute, et que je ne suivais avec elle que pour lui faire plaisir, soucieux de replonger éventuellement dans mes angoisses précédentes à cause d'une information ou d'une image trop poignante – je reçus un message anonyme : *Kérim a de nouveau son cancer*.

Dans l'ensemble, je réussis à rester calme, mais je m'en allai avec un peu de précipitation tout de même, en tout cas je ne me rappelle pas avoir emporté un bagage quelconque, peut-être avais-je l'espoir de revenir vite à la pension, et de profiter, à Péronne, de ce que j'avais enfin appris et conquis de haute lutte. Je suis certain d'avoir embrassé Manina devant la gare, mais aussi d'avoir songé que j'en avais assez, devant les gares, de prendre des gens dans mes bras. Un peu avant d'arriver à C., commençant tout juste à sortir de ma torpeur et à réfléchir posément à ce que j'étais en train de faire, j'appelai Kérim, curieusement dépourvu d'appréhension (mes diverses inquiétudes voletaient au-dessus de ma tête, comme des oiseaux). Il ne parut pas davantage étonné par mon appel que par ce nouveau retour, même si sa voix faible, encombrée, butant sur les premiers mots qu'il prononça, semblait devoir s'extraire de ses propres profondeurs, j'ai fait une rechute, me dit-il immédiatement, je vais mourir, puis, après un silence sinistre, il me demanda si je voulais bien me rendre à l'endroit où nous nous étions séparés, il le formula ainsi, nous pourrions nous voir là-bas, et il raccrocha. Le lendemain donc je revins à l'ermitage. Tout semblait à l'abandon, comme si personne n'avait vécu là depuis des années, ou comme si un déluge avait frappé et inondé tout le replat, déformé le bois des abris que nous avions construits et, à certains endroits, fait gonfler d'humidité le crépi des façades. À l'heure convenue, un homme en costume se présenta, juste avant que la vue du désastre me devienne insupportable. Il me conduisit jusqu'à sa voiture garée sur un parking de fortune, au milieu des bois, puis, après vingt ou trente kilomètres d'une route sinueuse et haïssable, me déposa sur le tarmac d'un aérodrome.

Kérim se trouvait dans le hangar le plus éloigné de l'entrée du terrain d'atterrissage, assis sur une chaise pliante, le visage bouffi et méconnaissable émergeant à peine de trois ou quatre couvertures dans lesquelles il s'était emmitouflé et grelottait. Ah tu es venu, toi, me dit-il en essayant de se lever, mais il renonça aussitôt, toi, ça me fait, que tu sois venu, tu ne peux pas savoir, beaucoup de bien. Ce fut tout : il lui parut en avoir dit suffisamment sur mon mérite, et il me parla sans plus tarder de ce qu'il comptait faire. Une autre greffe est inutile, me dit Kérim, une perte de temps, je connais je suis déjà passé par là. Alors je m'en vais. Il avait prévu de prendre l'avion jusqu'au Mexique et, de là, de remonter le pays vers le nord, puis de longer la côte est des États-Unis jusqu'au Canada, pour finir par s'installer au cœur de la forêt boréale, ça fait trop longtemps que j'ai envie de voir ça, me dit-il, il partait dans une heure. J'étais décontenancé. Néanmoins, ce n'était pas sa décision d'arrêter tout traitement qui me surprenait le plus, mais cette envie pressante d'Amérique dont, jusque-là, il ne m'avait jamais fait part, et je ne pus m'empêcher de lui demander pour quelle raison il ne retournait pas plutôt aux sources, au Cambodge ou en Turquie, où ses parents peut-être conservaient des connaissances qui pourraient l'accueillir, et prendre soin de lui (pour sa part, dans l'agitation des préparatifs de ce qui devait être son dernier voyage, Kérim paraissait avoir complètement oublié qu'il était malade, et même qu'il souffrait l'enfer). Mais, comme à son habitude quand on voulait l'assigner à ses origines, Kérim fit comme s'il n'avait rien entendu, de toute façon personne n'entendra plus jamais parler de moi, me dit-il en employant ce ton mélodramatique qu'il affectionnait pour clore une conversation. Puis, soudain grave, il dit : Charles... Charles, il ne faut pas se mentir, Charles, je sais parfaitement qui je suis... Ce que j'ai fait, dans ma vie, ce que j'ai permis... C'est fait... Mais maintenant... J'aimerais que tu viennes avec moi, j'y pense depuis que tu as appelé, j'aimerais... D'un geste de la main, d'un non de la main, j'arrêtai Kérim avant qu'il gâche nos adieux, avant qu'il s'abaisse et me supplie, et je baissai les yeux. Je ne pouvais pas l'accompagner, même si, l'espace d'un instant, je me vis monter dans l'avion avec lui puis décoller, laisser derrière moi la lune translucide et tourner mon regard vers le soleil, vers le soleil souverain au levant, aller avec lui ça aurait été comme signer mon arrêt de mort, je ne pouvais pas faire ça, j'aurais nié ma propre existence, ma nouvelle existence, et je me serais évanoui… Lorsque je relevai la tête, je vis que Ké pleurait, c'est-à-dire qu'un peu d'eau coulait sans bruit sur ses joues et s'y perdait, oh, cela faisait bien peu en définitive, et il put essuyer ses larmes d'un seul revers de la main. Puis il toussa comme pour s'éclaircir la voix, se redressa et, me regardant à nouveau, il me sourit.

Personne ne souriait comme lui, ne parvenait à communiquer une telle chaleur et une telle force, et cette conviction que tout irait pour le mieux, que tout finirait par s'arranger, personne n'aurait osé ce sourire de loup qui, lorsqu'il vous était accordé, vous donnait l'impression d'être épargné parmi quantité d'autres proies. Mais, sous l'effet de la douleur qui était revenue de façon accrue, comme rendue furieuse par le premier traitement et sa première défaite, ou bien parce qu'il ne restait pas grand-chose du carnassier en lui, son sourire ne s'attarda pas, et il ne subsista bientôt que sous la forme de lambeaux sur son visage… Alors je compris… J'avais mis le temps… Je savais maintenant pourquoi il devait partir, pour quelle raison je devais rester, j'étais plus tranquille… Entre nous, il en avait toujours été ainsi, aucune égalité n'était possible, aucune plénitude, tandis que je voulais en tout point être comme lui, être Kérim, je voulais prendre sa place, lui au contraire avait besoin de moi, Kérim me réclamait toujours, et non l'inverse… Moi j'étais celui qui permettait à Kérim d'être meilleur, entre tous, j'étais celui qui lui manquait, et non l'inverse… À cet instant, comme si je voulais me détourner un moment de la crudité de mes propres pensées, des impasses présentes, notre première rencontre me revint en mémoire…

Nous avions huit ou neuf ans, il venait d'arriver dans notre école… Il avait déjà l'air d'en savoir plus long que nous autres, ça ne plaisait pas à tout le monde, moi j'étais fasciné… Il venait à peine d'arriver, nous n'étions pas dans la même classe, je ne le connaissais pas encore, et il se battit pour moi… C'était lui qui m'avait abordé le premier, et demandé timidement mon nom, lorsque, sans raison, ou pour une raison que Kérim ne m'avoua jamais, trois garçons nous entourèrent dans la cour et se mirent à nous pousser et à nous donner de petits coups de pied dans les tibias et dans les chevilles. Je n'osais pas répliquer, je savais que si nous nous défendions trop bien dès le lendemain il faudrait recommencer, et le jour d'après, et le jour d'après, déjà j'avais peur du lendemain. Je me préparais à encaisser et à rendre quelques coups, pour la forme, mais lorsqu'un des gamins s'avança vers Kérim, puis tenta de le frapper au ventre, celui-ci parut sortir tout à coup de ses pensées, bondit en arrière, se campa fermement sur ses jambes au milieu des trois gosses tout en me poussant brutalement hors du cercle qu'ils formaient, et il commença à se battre avec eux, je veux dire à se battre vraiment, comme un adulte, au mépris des conséquences – à se battre avec courage, à ma place. Je ne vis presque rien de ce qu'il endura pour moi : j'étais parti chercher de l'aide. Quand je revins dans la cour avec une institutrice, la rixe avait déjà pris fin, et les enfants s'étaient dispersés. Cherchant Kérim des yeux je pensai qu'il avait vaincu, d'une certaine manière j'en étais persuadé. Puis je me dis tristement qu'il ne m'adresserait plus jamais la parole, je l'avais abandonné. Mais, le soir même, Kérim m'attendait à la sortie de l'école, il n'était pas retourné en classe depuis le matin, et comme je m'inquiétais de son nez qui saignait encore et du bleu immense sous son œil il éclata de rire, comme s'il savait déjà et acceptait par avance ce que j'étais et ce qu'il était, acceptation qui n'était pas résignée mais s'accompagnait d'un espoir incommensurable en l'avenir, en ce que nous pourrions être l'un pour l'autre, ce que nous pourrions faire ensemble et que lui seul, alors, avait pressenti.

Je l'invitai chez moi et en chemin il me raconta à sa façon, sans vantardise ni exactitude (c'était ce qu'il aimait, mentir sans vanité, sans qu'il soit question de malveillance, mentir joyeusement), comme il devait me raconter, par la suite, en suivant presque uniquement le cours de sa merveilleuse fantaisie, les dizaines d'histoires épiques qu'il avait effectivement vécues, il me fit un récit détaillé de la bagarre et de tous les coups donnés et reçus, mais je l'écoutais à peine, tout ce que je me disais c'était que j'avais maintenant un ami, pour moi le meilleur, avec qui il serait possible de partager l'écrasante quantité des pensées inqualifiables qui me débordaient déjà, et puis de refaire le monde, à notre idée, de renverser suivant notre idée le vieux monde que nous sentions trop vieux et trop hostile – tout était déjà décidé entre nous, à neuf ans, nous savions devoir nous montrer dignes de cette chance qui nous était offerte quand tant d'autres doivent subir toute une vie, et parcourir des milliers de milliers de kilomètres pour trouver un être cher qui les complète, et rien n'avait plus changé depuis, ni nous-mêmes ni notre projet de bouleversement du monde, malgré les frustrations et les colères de l'adolescence, malgré les rancunes mesquines ou justifiées de l'âge d'homme, en souvenir de l'espoir que ce petit garçon avait suscité en moi j'étais revenu à lui encore et toujours… Jusqu'à aujourd'hui…

À ces dettes de l'amitié, à cette attirance inexplicable pour un autre qu'on reconnaît d'instinct et qui nous paraît, sans les complications du sexe, s'offrir entièrement, à cette gémellité que la nature n'avait pas envisagée, ni l'amour ni les plus nobles élans de l'âme ne peuvent être comparés. Le divin n'y prend aucune part, c'est une réussite humaine, c'est une faillite humaine – voilà à quoi je songe le plus souvent désormais, sous la tente, à nouveau en guerre dans le désert, je trompe l'ennui et mon indifférence en scrutant la lune pareille pour tous, à ce jour j'ignore si Kérim vit encore mais pour moi il vit toujours et je l'imagine seul, ignorant le froid, accroupi quelque part dans une forêt du Grand Nord et écoutant les voix sifflantes du vent entre les arbres qui lui parlent, qui annoncent sa mort prochaine et le néant et se moquent de lui, et je me demande si Kérim pense à moi, je me demande à quoi il pense et je me demande, oui, je voudrais être à ses côtés une dernière fois pour voir ce qu'il voit.

OUVRAGE RÉALISÉ
PAR L'ATELIER GRAPHIQUE ACTES SUD
REPRODUIT ET ACHEVÉ D'IMPRIMER
EN NOVEMBRE 2014
PAR NORMANDIE ROTO IMPRESSION S.A.S
À LONRAI
POUR LE COMPTE DES ÉDITIONS
ACTES SUD
LE MÉJAN
PLACE NINA-BERBEROVA
13200 ARLES

DÉPÔT LÉGAL
1re ÉDITION : JANVIER 2015
N° impr. : 1404556
(Imprimé en France)